М. ВЕЛЛЕР

# ПАМЯТНИК ДАНТЕСУ

Санкт-Петербург
«Издательский Дом „Нева"»
Москва
Издательство «ОЛМА-ПРЕСС»
1999

ББК 84(2Рос-Рус)6
В 27



*Художник Дм. Непомнящий*

**Веллер М. И.**

В 27 Памятник Дантесу. – СПб.: «Издательский Дом „Нева“»; М.: «ОЛМА-ПРЕСС», 1999. – 383 с.

ISBN 5-7654-0421-9

ISBN 5-224-00577-9

В предлагаемую вниманию читателей книгу одного из талантливейших русскоязычных писателей Михаила Веллера вошли новые рассказы «Красная редактура», «Памятник Дантесу». Оригинальная, потрясающе смешная и порой немного грустная, проза Михаила Веллера являет собой блестящее исполнение истинно русского рассказа.

ББК 84(2Рос-Рус)6

ISBN 5-7654-0421-9
ISBN 5-224-00577-9

# ЛЕГЕНДЫ-2

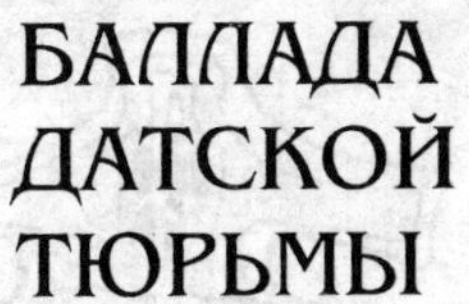

# БАЛЛАДА ДАТСКОЙ ТЮРЬМЫ

ONE DOL

Дания — страна скучная. Но вообще ничего. Жить можно. Если кому охота ничего не делать и жить спокойно — место очень подходящее.

Датчане гордятся тем, что их королевская династия — сегодня древнейшая в мире: не прерывается уже тысячу лет. И любят вспоминать, что когда во время Второй Мировой войны оккупировавшие их немцы приказали всем евреям нашить желтые звезды, назавтра король вышел на улицу с могендовидом на чер-

ном пальто; начиная с чего и не допустил акции.

Теперь прибавим к этому викингов, завоевавших Англию и державших в страхе пол-Европы, замок Эльсинор, где Гамлет разбирался с родственниками, и необыкновенно человеколюбивое законодательство, позволяющее любому бездельнику отлично жить на кучу социальных пособий. И завершим этот краткий обзор знаменитым и действительно прекрасным парком развлечений Тиволи.

После этого делается понятным, почему две старушки на улице, к которым я обратился с просьбой обменять мне горсть мелочи на одну крону, имея в виду позвонить из автомата, — зашипели старушки под бряк моих монеток, и прервали меня презрительно советом идти работать, а соседние старушки оплевали мой английский приказом учить датский. Забодали их попрошайки-иммигранты из интересных стран, приехавшие за скучной хорошей жизнью.

Итак, жил-был в Петербурге юный поэт. Малоизвестный, как водится. В Петербурге и маститым старым поэтам не шибко сладко живется, а уж о молодых дарованиях и говорить не приходится. Поэт хотел писать стихи, а еще он при этом хотел хорошо жить. Вдобавок это был женатый поэт. Женатым людям вообще не шибко сла... но, кажется, мы начинаем повторяться. Жена была его единственным слушателем, и таким образом он рассматривал ее как необходимый элемент своей творческой жизни. А вообще жизнь была дерьмо.

В дерьме случались отдельные зерна типа если не жемчужных, то хотя бы кукурузных. Например, однажды поэт удостоился читать свои вирши на вечере молодых дарований в ПЕН-клубе. И председательствовавший, известный поэт Виктор Кривулин, в порядке самокомпенсации за три часа бреда, который он по долгу положения был вынужден слушать, долго и с удовольствием рассказывал нищим пиитам, как он хорошо выступал в Дании. Я терпел, теперь вы

потерпите. Должность председательствующего имеет свои приятные стороны даже у поэтов.

И наш поэт запал на Данию. Он представил себе, как гениально можно жить в Копенгагене на социал (социальное пособие), ни хрена не делать, гулять у Русалки и писать стихи. О, это именно тот коммунизм с человеческим лицом, о котором мечтали отцы-основатели! Недаром, недаром отдал свою молодую жизнь Гамлет за счастье будущих поколений романтиков и поэтов.

Из чего можно сделать тот верный вывод, что романтизм и дармоедство совмещаются у поэтов удивительным образом, но очень крепко. Этим поэтам палец в рот не клади, они только с виду безобидные.

Поэт велел жене собирать чемодан — они едут в Копенгаген. Как, на что?! Все продадим. Что продадим?! Гм. Одолжим. Купим самый дешевый тур. И попросим политического убежища. Будем шикарно жить. Посылать подарки твоим родителям.

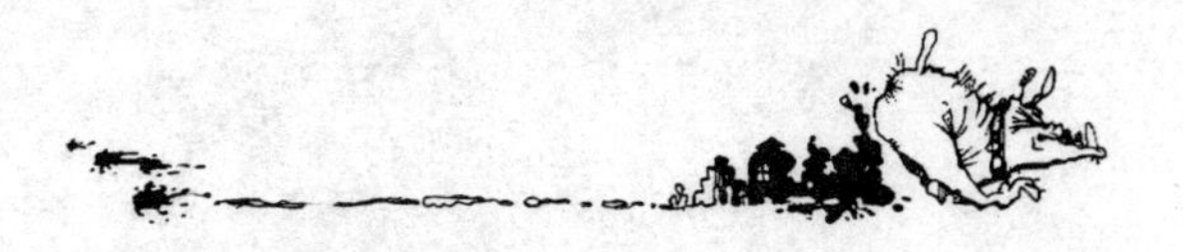

Жена подумала и спросила, почему же тогда все их друзья-поэты еще не живут в Дании? И получила ответ, что все эти поэты идиоты. Поэт вообще склонен отказывать собратьям по ремеслу в умственных способностях.

Но жены поэтов лучше разбираются в жизни. Это ведь они вынуждены кормить шизофреников, которые рифмуют «украдкой» и «прокладкой». Жена полезла в атлас мира и выяснила, что Дания расположена на Ютландском полуострове, а полуостров — это часть суши, не менее чем с трех сторон окруженная морем. И всех желающих эта ограниченная суша вместить никак не может, разве что начать их спихивать в окружающее море. Для уточнения она позвонила в датское консульство, где ее страшно разочаровали: после девяносто первого года, когда лопнул Союз и настала свобода, россияне правами политических беженцев не пользуются, и вообще больше в Дании ничем не пользуются, халява капут, фрёкен.

Поэт попил водки, полежал в депрессии, временно прекратил писать стихи и проявил отменную предприимчивость. Не писать стихов вообще полезно.

Он схватил жену с чемоданом и переволок к ее родителям. Комнату свою сдал — дешево, но деньги за полгода вперед. Оформил загранпаспорта и купил самый дешевый тур в Данию. После чего походил по турфирмам и нашел такую, которая незадорого устроила ему и жене выписку из Петербурга задним числом, как бы годом раньше. Выписаться — не прописаться, дело несложное, если есть связи.

Такой же как он, молодой бедный поэт, работавший в газете, устроил ему командировку от газеты в Душанбе. И он явился в Душанбе, где идет война и все русские разбежались, и предъявил свою командировку в местной русской газете, и сообщил оставшимся полутора сотрудникам, что хочет у них немного поработать. Да с радостью, дорогой!

За три недели, живя в редакции, он обделал все свои дела. А именно: но-

вые друзья обратились к своим местным друзьям, и ему сделали прописку задним числом. А больничные бланки с печатями он купил на базаре сам. И, разумеется, напечатал в газете свои стихи.

Предыстория окончена. Поэт с женой сел на паром и прочитал удаляющейся родине прощальный сонет.

Вечерний Копенгаген встретил его горящей от горизонта вывеской «Туборг». Тренированный таджикской войной и российской бюрократией герой со странным ощущением понял, что из мира бардака попал в мир потребления.

Утром сойдя на берег после уже оплаченного завтрака, он высмотрел полицейского и на хорошем английском сообщил: «Прогнило что-то в Датском Королевстве? Вы не чувствуете? А Шекспира вы читали? Неважно, тогда подскажите, пожалуйста, как проехать в лагерь для перемещенных лиц».

Лагерь был в часе езды на электричке. Это такой садик в загородке, где за зеленью белеет гостиничка-общежитие.

Из будки у ворот высунул пивной живот привратник.

– Прошу политического убежища! – заявил поэт.

– О'кей, – согласился привратник. – Из какой вы страны?

– Из Таджикистана. Сбежал от резни.

– Поздравляю,– сказал привратник.– А Таджикистан – это где?

– Рядом с Афганистаном. Средняя Азия. Граница бывшего СССР.

Привратник пошевелил животом и покивал:

– Проходите. В комнате номер два вам покажут, в какую комнату селиться, и выдадут талоны на питание.

В комнате номер два, однако, вместо поселения и пропитания им устроили допрос. Российские загранпаспорта, идите гуляйте и плывите вон!

Но петербургский поэт – не тот продукт, чтобы вечно плавать. Он вытащил паспорта с душанбинской пропиской, три справки об избиениях с печатью душанбинской поликлиники, пачку душанбинских газет со своими стихами и статьями,

и папку газетных вырезок о зверствах войны и преследованиях русских.

— Мы выросли на Андерсене, Торвальдсене и Кьеркегоре, — сказала жена по-датски при помощи русско-датского разговорника и стала плакать.

И датчане вынуждены были признать, что у них стало двумя нахлебниками больше.

В лагере супруги безбедно прожили год: приоделись в почти модные тряпки из благотворительных пожертвований, трижды в день спускались в столовую, привередливо ковыряя вполне качественную кормежку, курили баснословно дорогие в Дании сигареты (пять долларов пачка), покупаемые на отдельное табачное пособие, и ждали от департамента иммиграции постоянного вида на жительство.

Первые два месяца шло в кайф, а потом стало скучно. Рядом жили курды, югославы, эфиопы и албанцы. Они галдели, курили план, жрали как землеройные машины и были совершенно чужды поэзии.

Копенгаген оказался небольшим, а цены – бешеными.

В поисках слушателей для своих стихов поэт познакомился с русской общиной. Полсотни человек были расколоты на несколько группировок. При церкви была библиотека, по воскресеньям после службы там пили чай: одна партия с батюшкой в одной комнате, другая со старостой в другой комнате, а третья с председателем общины пила пиво через дорогу. Что они пытались делить, человеку новому уразуметь невозможно.

Поэт затосковал. Тоска была, прожиточный минимум был, но пить было практически невозможно – бутылка водки под сорок долларов.

Пропив в два присеста месячное пособие, поэт снова временно перестал писать стихи, вместо этого проявив сообразительность. Он пошел в порт искать русское судно. При такой разнице цен только осел не прихватит несколько бутылок на продажу.

Ослов на русских судах нет, а бутылок гораздо больше, чем несколько.

Поэт нахрюкался в хлам, тут же угостил новых друзей-моремановн и почитал им стихов. Они прониклись настоящей поэзией и предложили привозить ему водку хоть ящиками.

– Мужики, да я столько не выпью.

– И не пей. Мы ж не пьем.

– ?!

– Продавай. Ты чо. Все продают. Ты чо?

И он стал подторговывать. По мелочи так. Пошлялся по арабским лавочкам, организовал сбыт: с рейса – пару ящиков водчонки, десяток-другой блоков сигарет. Не зарываясь, чтоб конкуренты-поляки не сбросили в канал.

И даже приподнялся. Наши команды о нем уже знали. Свой, интеллигентный, надежный, петербуржец, дает сразу налом, и искать никого не надо. Шиковать он опасался, чтоб со всех пособий не сняли, счет в банке тоже опасно открывать, сплошная компьютеризация всех данных, а он же нищий, социальщик: так он сгонял на рейсовом катере через пролив в Швецию, полчаса ходу, виз не

спрашивают, и раз в месяц клал деньги в банк в Мальмё.

И вот как-то берет он ящик водки, а выпить охота, и с ребятами посидеть. И прямо в каюте они одну бутылку раскрывают и шлепают. Он распечатывает только что купленный блок сигарет, морячки тащат закусь с камбуза; вторую открывают. Хорошо идет! Давай еще одну... А, да хрен с ним, с этим ящиком, хорошо сидим!

А потом он вызывает такси, они суют пузыри в карманы и едут погулять по городу. Лето, погода чудная, настроение что надо.

...Утром кто-то стучит в дверь. И сильно так, аж в голове отдается.

— Да-да... Войдите!..

Не входят. Стучат. Что за кретинизм...

Он с неохотой всплывает из глубокого сна. Постель жесткая, неудобная. Открывает глаза. Подушка серая, плоская... ерунда какая-то.

Опять стучат. Со стоном поворачивает голову и ничего не может понять.

Это по голове его легонько постукивает дубинка. А за другой конец дубинки держится полицейский. А за полицейским, как нимб, встает утреннее солнце.

Он отдает себе отчет еще в одной странности: пахнет необъяснимо. Просто гадостно воняет!

Хочет спустить ноги с кровати – и не может! Не спускаются ноги! Так, все, замели: нары, контрабанда, срок... ужас.

А полицейский сочувственно говорит:

– Что, сынок, перебрал? Вставай, не лежи.

До него доходит, что он лежит на тротуаре. Он кое-как встает, и полицейский морщит нос:

– Эк ты неудачно лег, сынок.

Здесь необходимо сказать пару слов о датских собаках. В этой изобильной стране методом вековой селекции, не иначе, вывели удивительных собак. С виду они обычные, но диаметр выходного отверстия равен так примерно калибру ротного миномета. И когда они гуляют, то следы их прогулок чудовищно напо-

минают человечьи, причем от матерого едока. И сейчас этот след обжористого меньшого брата распределен у несчастного поэта по всему фасаду.

— Помыться бы тебе, сынок,— сочувствует сердобольный полицейский.

От всего этого мерзкого непотребства поэт приходит в себя. И тогда он понимает, что это ему всю ночь мешало спать. Он спал на здоровенном булыжнике. Откуда взялся единственный булыжник среди сплошного асфальта?.. И как удачно выбрано место на ровном и чистом, в сущности, тротуаре: тут тебе и камень, и какашка... стекло еще какое-то битое!.. Не порезался хоть?

Нет, не порезался. Все-таки Бог пьяниц бережет. Но откуда стекло?

Он поднимает глаза, и ему хочется заснуть обратно. Потому что он пролежал ночь прямо под разбитой витриной. Над витриной написано, что это ювелирный магазин. А в самой витрине, вперемешку с осколками, лежат, согласно вывеске, разные ювелирные изделия.

А полицейский соотносит между собой булыжник, алкаша с какашкой, разбитое стекло и драгоценности в витрине. И делает вывод:

– Сейчас я зачитаю тебе твои права. Или тебе сначала надо пива попить?

Из машины, которая, оказывается, стояла рядом, вылезает второй полицейский и протягивает нашему грабителю бутылочку пива. И он выслушивает свои права. Понимает отлично, соображение становится кристальное! Недаром датский язык на бесплатных курсах для беженцев учил.

И это кристально ясное соображение подсказывает ему, что он огреб лет восемь. Ограбление ювелирки со взломом. Да нет, скорее двенадцать.

Разгромленная витрина заклеивается крест-накрест лентой, и первый полицейский остается при ней. А второй сажает его в машину, открывает окна, воротит нос и везет в отделение.

Там с него снимают показания. Пил на судне с русскими моряками, ничего не помню. Какое судно? Проверяют,

сходится. Полицейские добреют и даже начинают его жалеть: что же вы, говорят, такой молодой и бросились пить с русскими моряками.

Катают пальчики. Отпечатки на булыжнике сходятся, на осколках стекла сходятся. А где вы, интересуются, этот камень взяли? Черт его знает, откуда он взялся.

Но в карманах у него пусто – ни денег, ни драгоценностей. А хозяин магазина уже прорыл носом витрину – ничего не пропало, слава те Господи! И значит, налицо не ограбление, а только хулиганство, максимум – умысел: почему вы разбили именно ювелирную витрину? Но умысел еще доказать надо.

И заметьте: ночь простояла раздрызганная витрина с драгоценностями, и никто каким-то образом ничего не взял!

Нашего конвоируют в душ и советуют простирнуть костюмчик. Он льет на голову холодную воду, смывает с одежды следы ночлега, покаянно заводит руки за спину и спрашивает, куда идти.

– А где вы живете?

— Я указал в протоколе адрес. — Повторяет.

— Вот туда и идите.

— Как?..

— А как вы туда обычно ездите? На электричке. У вас же проездная карточка сохранилась, не потеряна.

Наш пытается уразуметь. Его что, не сажают, что ли?.. Нет, сажать можно только после приговора суда. Но он же совершил преступление... разбил витрину. — Вот суд и оценит. — А... пока? А пока вы подписали обязательство о невыезде. И, кстати, позвоните жене, она же волнуется, телефон у двери, у вас осталось право на один бесплатный звонок.

— А когда являться на суд?

— Вам прийдет открытка с точным временем.

И совершенно обалделый от своего счастья и этого гуманизма поэт катится домой, и если бы не трещала голова после русской водки, то впору парить на крыльях и петь датский гимн.

Месяц он парит и поет, второй парит и поет, на третий эта неопределенность

начинает выматывать нервы: хочется приземлиться и спокойно молчать; определенности хочется.

И вот приходит приглашение на казнь. Жена собирает ему две сменки белья, теплый свитер, зубную щетку и сигареты. Он пишет поэму на манер «Баллады Редингтонской тюрьмы». И несколько знакомых из русской общины, которых он угощал водкой и стихами, сопровождают его в суд: и поддержать, и развлечься, и пожить общественной жизнью.

На выходе из ворот они встречают почтальона. И почтальон вручает ему конверт из Департамента иммиграции: ваше ходатайство рассмотрено и удовлетворено, вы получаете постоянный вид на жительство и вноситесь в очереди на муниципальную квартиру и всякие социальные блага.

Это же необходимо вспрыснуть! Ну хоть по чуть-чуть! Они заворачивают в бар, пьют за Данию и за начало новой жизни. И на такси, опаздывая и в прекрасном настроении, прикатывают в суд. Поэт всех любит и готов сидеть вечно.

Вечность прокурор измерил семью годами. Обвиняемый побелел и поклялся себе бросить пить вообще.

Но датский суд демократичен, и наступил черед бесплатного государственного адвоката. А кто обычно государственный и бесплатный? Молодой, который еще не купил частную практику и не выработал ценз по времени и выигранным делам. И этот молодой боец выскакивает на ринг. По фигу ему поэт, он дерется за свою карьеру.

Он кратко освещает творческий путь поэта: любил, страдал, принес свой духовный вклад в датскую сокровищницу. Он выразительно воспевает успевшую забеременеть на датских кормах жену поэта: пусть лучше семью кормит муж, чем налогоплательщики. Он вдребезги разносит претензию обвинителя на умысел к ограблению: помилуйте, все на месте, перестаньте плодить преступность на бумаге. И только после этого, размяв, так сказать, соперника, наносит нокаутирующий удар.

Он предъявляет суду рекламу стекольной фирмы, поставившей ювелиру

это витринное стекло: оно и небьющееся, и пуленепробиваемое, и не нуждается в дополнительной защите, и вообще способно выдержать чуть не ядерный взрыв.

Он предъявляет иск ювелира к фирме: обман клиента, нарушение прав потребителя и нарушение закона о рекламе. И присовокупляет к нему ответ фирмы: кается, признает, за свой счет заменяет стекло на улучшенное и гарантированное – и благодарит клиента за то, что он помог фирме вскрыть недостатки продукции; плюс компенсирует моральный ущерб и частично материальный за полдня простоя в работе.

Это стекло вообще не должно было разбиться, гремит адвокат! И не было бы никакого преступления, и никакого суда, и никакой траты государственных средств! Да этому парню вообще надо предоставить место эксперта у стекольщиков!

И шлепает на судейский стол письмо злосчастной фирмы: она признает свою вину, благодарит обвиняемого и соглас-

на оплатить судебные издержки. Еще бы нет. Попадет дело в газеты – и прощайся с покупателями: покупаешь пуленепробиваемое, а его любой пьяный камнем разносит.

Адвокат от имени обвиняемого выдвигает фирме иск: халтурите, гады, а вот по вашей вине люди страдают. Ну, задел камнем – а вы что обещали?!

Друзья аплодируют. Поэт балдеет. И получает два месяца. Все-таки хулиганство имело место...

Поэт искренне благодарит суд, радостно целует через барьер жену и заводит руки за спину: куда идти.

– А вы где живете?

– Пока в лагере для перемещенных лиц.

– Вот туда и идите.

– Как?

– Это ваши проблемы. В вашей подписке о невыезде оговорено, что вы являетесь по вызову в суд и тому подобное за свой счет. Транспортом не обеспечиваем.

Поэт ничего не понимает. А сидеть-то... куда идти?

– Когда надо будет сидеть – вас вызовут. А пока ступайте.

– Позвольте, – говорит поэт, – но как же так? Мне ведь уже дали срок!

– Чем вы недовольны? Хотите начать отбывать наказание прямо сейчас? Это не предусмотрено.

– Но я же... могу сбежать! – возражает он.

– Куда? – удивляются они.

– Ну... в Швецию.

– Зачем? Вам никто не даст вид на жительство. Провести жизнь в бегах? А когда вернетесь – срок добавят. А после отсидки – лишат датского вида на жительство и депортируют. Так куда же вы денетесь?.. А жить на что будете?

Очень логично.

Тюрем в Дании не хватает. Новая тюрьма денег стоит. А какая ж это партия, пришедшая к власти, объявит, что собирается тратить бюджетные деньги на строительство тюрем? Народ их не

поймет!.. Вот они и сидят по очереди. Нет, вы поняли?

А сбежит – и хрен с ним, нахлебников меньше: к нам уже не суйся.

И поэт привыкает жить под дамокловым мечом. И через полгода этот меч на него обрушивается в виде присланной анкеты на шести листах: какими болезнями болели? сколько психов в роду? рост, вес, приметы; профессия, хобби, какими видами спорта увлекаетесь; предпочитаете сидеть на солнечной стороне или тенистой? не помешает ли отсидка вашему бизнесу? хотите ли сидеть подряд, или по выходным уходить домой – но эти дни не зачтутся; а можно сидеть только по выходным, но это будет долго. И – подробный адрес тюрьмы, виды транспорта до нее, телефоны дежурного, коридорных и коменданта. Плюс листок с приглашением: такого-то числа к семи утра мы вас ждем.

Поэт идет сидеть, и у него растроганно влажнеют глаза. Камера на двоих. Телевизор в коридоре. Телефон в коридоре. Трехразовое питание может быть

для больных диетическим. Спортзал, библиотека, мастерские для любящих труд, с семи утра до девяти вечера хождение внутри тюрьмы свободное. Бумага, ручка, писать стихи сколько влезет.

– Шекспир был гений, – шепчет поэт. – Весь мир тюрьма, но Дания – да, образцовая. На месте Гамлета я бы не дергался... в России он не жил! принц, понимаешь.

А тюремщики объясняют дополнительно, что вообще-то с его нестрашной статьей можно хоть каждый день ходить в город – с восьми утра до восьми вечера, но предупреждать надо заранее, и пропавшие обед и ужин, на которые он имеет право, ему тогда не возместят, и срок за этот день будет засчитываться наполовину. Зато можно днем ходить на работу, а ночью сидеть в тюрьме. Многие так и поступают, чтоб место не потерять.

Никто еще не садился в тюрьму с такими грандиозными планами и энтузиазмом – от графа Монте-Кристо до Ульянова-Ленина. Поэт будет писать, читать, совершенствовать датский язык

и заниматься спортом. Что может быть прекраснее и могущественнее мечты? Только лень.

Поэт нажрал бока, научил сокамерников преферансу и пристрастился вступать в дискуссии с пастором по разным вопросам христианства. Как часто бывает, в тюрьме он впервые оценил все прелести абсолютной свободы.

— Я христианин! — решил он. — А следовательно — мое место в Христиании.

— Они же там все не моются, — робко заметила молодая жена на побывке. — От них пахнет.

— Это запах свободы, дура, — объяснил умудренный тюрьмой муж. — Хотят — пахнут, хотят — моются. И тебе никто не запретит мыться. Или пахнуть. Как захочешь.

Новое увлечение захватило его. О, почему здесь нет питерских друзей — чтоб они завидовали! тогда счастье было бы полным.

Он бросился сидеть плотно, без перерывов, — и после освобождения они поселились в Христиании.

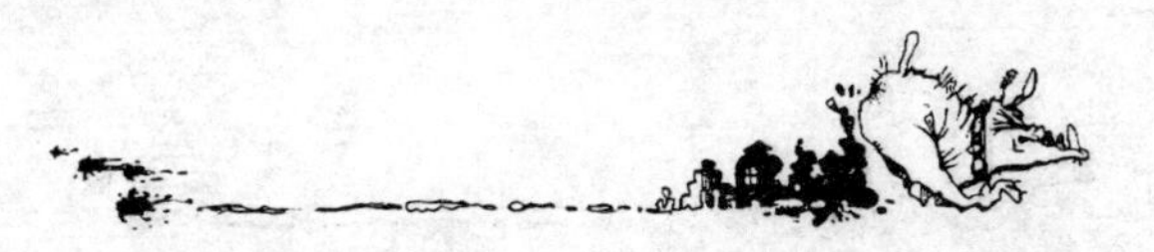

О Христиания! Шведы предложили датчанам ченч: те закрывают Христианию, а шведы в ответ закрывают свою атомную электростанцию, которой датчане боятся: вдруг все отравит. Потому что шведская молодежь не просто сбегает через открытую границу в Христианию, чтоб предаваться там порокам группового секса и употребления наркотиков, но делает это иногда в качестве альтернативной службы, вместо призыва в армию.

Мы – независимое государство, гордо ответили датчане: подавитесь вашей электростанцией. И не закрыли.

Христиания – это небольшой район Копенгагена, расположенный на отделенном каналом островке. Фактически же – это полунезависимое полугосударство.

Мекка хиппарей всего мира – вот что это такое. Здесь впервые перестали преследовать за употребление наркотиков. Здесь впервые узаконили браки между влюбленными одного пола.

О Христиания! сладкий сон: «Раздолбаи всего мира, объединяйтесь!».

Границей служит зеленый штакетник у мостика. Фанерная арка расписана гостеприимно и нецензурно. Непосредственно за аркой тощие немытые мымры предлагают купить гашиш — это узаконенный промысел: плитка в пять граммов. Больше — закон слегка покарать может, а пять граммов — это как бы для личного потребления, это можно.

На крохотной булыжной площади вывихнутые из нормальной жизни свободолюбцы, юноши бледные и запущенные лет так под пятьдесят, торгуют самопальными сувенирами. Цены на сувениры напоминают таракана, прыгнувшего с шестом: и как такая маципуська забралась на такую высоту?! А потому что — столица хиппи: за престиж дерут с дурных туристов. А больше просто свои мелкие наркоденьги через эти псевдолавчонки отмывают.

И кто-нибудь обязательно лежит на пыльном булыжнике, демонстрируя степень раскованности. Правда, лежит недолго: жестко все-таки.

Одни живут в палатках, другие в шалашах, третьи – в совершенно благоустроенных домиках, хотя снаружи те домики сляпаны из жестянок и фанерок, а формой усердно уподобляются то банану, то еще какой неприличной штуковине: как же, хиппи – да не постебаться, затем и живут.

Было лето, и поэт и женой построили в кустах шалаш. Это было нечто!

– С милой рай в шалаше! – шептал счастливый поэт, лежа на траве и читая стихи.

Чтобы правильно понять эту идиллию, к житью-бытью в шалаше следует присовокупить: бесплатный проезд в муниципальном транспорте, бесплатное медицинское обслуживание, регулярный выбор благотворительной малопоношенной одежды и шестьсот долларов в месяц на питание и самочинные расходы. Так что шалаш шалашу рознь.

Правда, наличествовала и бюрократия – даже здесь: им пришлось пройти «собеседование» в местном органе самоуправления, именуемом «советом ста-

рост»: всякую чистую шваль, знаете, не селим, докажите, что вы – наши. Пожалуйста! Вот вам стихи, вот вам Бог, вот вам таджикская война – и вот вам камень в ювелирную витрину в качестве протеста против буржуазного образа жизни, и даже последовавшая за демонстрацией своих убеждений тюрьма. О'кей, друзья, заходите и живите с нами.

Теперь – в последний раз перебьем наш движущийся к развязке сюжет неторопливым рассуждением о природе таланта. Талант – это перпендикуляр. Это заплыв против течения. Это презрение к толпе и неистребимое стремление выделиться из нее так, чтоб она удивлялась и уважала. Нонконформизм, в общем, и способность делать что-то такое, чего большинство не может, или не хочет, или даже не понимает.

Видимо, наш поэт был талантлив.

...– Через месяц,– рассказывал он,– я озверел. Слушай: они ничего не делают. Н и ч е г о!!! Они с утра заряжаются дурью и мутно смотрят по сторонам. Их никто не трогает. Они на хрен никому

не нужны. Они тупы, как сибирские валенки. Они рассуждают о буддизме, не зная, кто такой Будда, и о зороастризме, не зная, кто такой Заратустра: и балдеют от своей гениальности. Это самоходные растения, это салат из моченой капусты! Мне захотелось загнать их на комсомольскую стройку и там сгноить, пока я не нашел им применение.

Я изумился: какое применение может найти ленинградский бездельник датским бездельникам, да еще в их собственной столице?

– Ты пей, пиво хорошее,– сказал поэт, подливая крепкий, черный, экстракачества карлсбергский портер и придымливая «Мальборо».

Солнце садилось в воду. Мы сидели в низких кожаных креслах у его коттеджика, живописно торчащего на зеленом взгорке под раскидистым дубом: идиллия!

– Они любят пожрать! – поведал он. – А тощие – только от лени. Я не понял, какое применение может найти поэт любви окружающих к жратве. Раз-

ве что заставить их питаться своей поэзией. Учитывая калорийность стихов, отощание бедных хиппи делается понятным. Не передохли бы.

– Жена любит жарить котлеты, – продолжал хозяин. – Она до замужества вообще любила готовить, просто случаев не предоставлялось.

Так вот. На арабском рыночке, в воскресенье под закрытие, вечером, мясные обрезки-остатки идут почти задаром. Гроши. От ворот хлебозавода хлебный брак берешь бесплатно, его для того и выставляют. Чуть-чуть подпорченные лук и чеснок после закрытия рынка просто валяются на земле – бери, пока не подмели. А растительное масло, срок реализации которого только истек, можно купить на оптовом складе за двадцать процентов цены, если договориться; а масло вполне хорошее.

Я понял, почему пахло жареным. Ох затравит он простодушных детей Европы, ох ходить им с гастритами и колитами...

— Себестоимость котлеты одна крона, цена — пять, и это очень дешево,— продолжал он рецепт своего преуспеяния.— А если к ней берешь рюмку водки — из аптечного спирта, он дешевле окномоя — тогда на все крона скидки. Когда они распробовали, что значит выпить рюмку водки и закусить ее горячей котлетой, я открыл счет во втором банке. Заметь, никаких налогов. Банк в Швеции.

— И построил этот домик?

— Домик в две недели мне построили добровольцы за котлеты и водку. Я здесь теперь как бы главный кормилец и большой коммерсант. Туристская достопримечательность! Лоток видел?

Я видел лоток. Не иначе моряки специально доставили его с российской свалки, таких давно нет: ностальгия! Жестяной короб на велосипедных колесах был покрашен в родимый небесно-голубой цвет. И белая кириллица по борту навесила издевательскую дугу: «Ленобщепит, бля!». Кругом сидели хиппи и сытно рыгали. А за крошки дрались датские воробьи.

Жена пронесла полный поднос. Цепляющийся за ее джинсы карапуз угостил обломком котлеты датскую кошку.

– Почитай стихи, – пустил я пробный шар.

– С чего бы? – подозрительно поинтересовался бывший поэт. – Да пошел ты на... со своими шуточками. Скоро на рынок пора. А вообще надоело здесь – покормлю еще год-полтора этих бездельников и свалю в Америку. Куплю дом в Оклахоме.

– Почему в Оклахоме? – спросил я.

– Индейцев буду травить, – сказал он. – Пусть и они покушают. Охота мир посмотреть, пока молодой.

На месте совета директоров «Мак-Дональдса» я бы содрогнулся.

ПОСВЯЩАЕТСЯ СТЕЛЛЕ

НАУК

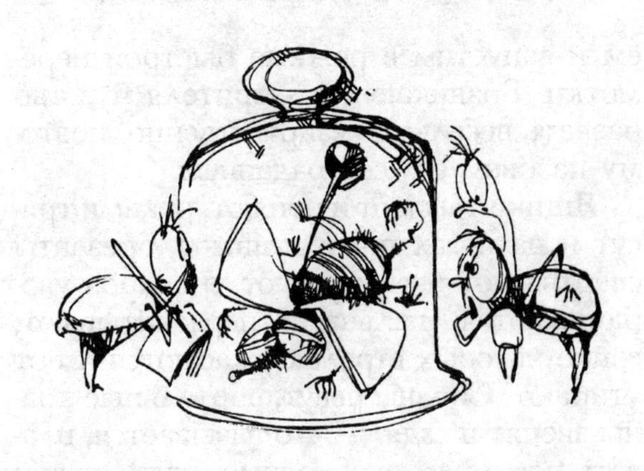

Сейчас уже никто не сумеет ответить на вопрос, почему исследовательские суда Института гидрологии Академии Наук отваливали из Угольной гавани, и именно с Десятой элеваторной площадки. Вероятно, был в этом какой-то глубокий научный умысел, тайный для непосвященных.

И вот отход назначен на одиннадцать утра. Чтобы лучше представить себе картину, возьмем один муравейник, одну бутылку скипидара и один словарь тюремного жаргона. Теперь перемеша-

ем и запустим в режиме быстрой перемотки. Возникающее у зрителя чувство назвать весельем безнравственно, поэтому назовем его состраданием.

Ящики таскают и роняют, руками трясут и на ногах подпрыгивают, брезенты свертывают и расстилают, от каров уворачиваются, пальцами пересчитывают, гонке часовых стрелок ужасаются и пот утирают. Сирены ревут, портальные краны звенят и ездят,— что называется, плавать по морям необходимо, жить не так уж необходимо и даже не очень хочется.

И в седьмом часу вечера, как водится, благополучно отходят. Переводят дух, сменяют мокрые рубашки и в половине восьмого топают по трапам на ужин. А корабельный ужин, если кто не знает, ничем не отличается от обеда, как правило, полностью его дублирует. Но есть и один нюанс. Хороший кок на отход готовит кислые щи. Это добрая морская традиция, причем чисто русская. Кислые щи очень хорошо идут с похмелья и облегчают разлуку с берегом. Гуманная и полезная традиция.

Перед щами экспедиция вкусно хлопает по стопке казенного спирта, после компота хлопает по второй, а хлопнув третью вылезает на палубу: курить на свежем ветерке и любоваться морским пейзажем. Конец всех подготовительных хлопот и начало рейса до прихода в район исследований – блаженнейшее время, и все блаженствуют.

Блаженствующий человек смотрит на мир оптимистично и победоносно. Он добр и склонен покровительствовать.

Все эти ученые и младшие научные сотрудники со своими бородами, очками и сухопутной лексикой курят в корме и быстро находят, кому можно покровительствовать. Потому что рядом у фальшборта курит свободный от вахты моряк, третий механик, как чуть позже выяснилось, и смотрит на удаляющийся вечерний берег с выражением необыкновенно печальным.

Они предлагают ему выпить и говорят слова о том, что жизнь прекрасна. С первым механик охотно соглашается, второе же его раздражает. Ибо вообще

нет для моряка ничего оскорбительнее, чем когда на собственном борту сухопутная крыса пытается учить его жизни, даже если это ученая крыса с докторской степенью и благими намерениями.

Самая болтливая крыса оказалась профессором гидробиологии и после третьей имела обыкновение изъясняться особенно витиевато, нажимая на радости жизни даже у рыб и моллюсков.

Механик решил не уступать и тщательно облек грубость ответной мысли в наукообразную форму.

– Скажите пожалуйста, профессор,– вежливо обратился он, – а что думает современная наука по поводу совокупления гомо сапиенс с отрядом пернатых?

Ученые одобрительно протерли очки и настроили радостные уши.

– Со всем отрядом сразу? – пожевал губами профессор. – Или, э-э... по очереди? Я вообще-то, знаете, специалист по морским ракообразным.

– Экая гадость,– посочувствовал механик, как бы имея в виду морское ра-

кообразное в роли сексуального партнера. – До чего только не дойдет наука. Нет, вот что-нибудь теплое такое, округлое... пушистое.

– Наука гарантирует, – заверил профессор, – что какое бы оно ни было теплое, круглое и даже пушистое, потомства от такого полового контакта не будет...

– Оно и к лучшему, – пробормотал механик.

– ...но если вы имеете в виду судового кота, то он вовсе не пернатый, смею вас уверить. А вообще к скотоложеству наука относится так же, как уголовный кодекс.

– То-есть?

– Отрицательно.

– Скотоложество возможно только на скотовозах, – отмежевался механик. – На обычных же кораблях может быть только один вариант скотоложества.

– Какой же? – купился профессор.

– Если любовник – скотина.

В замкнутом мужском коллективе эстетическая примитивизация индивиду-

умов происходит удивительно быстро, как будто выключатель щелкает. Всякая духовная утонченность закукливается мигом. Слушатели загоготали. Механик приосанился с видом победителя в научной дискуссии. Гоготанье помогало ему увязать нить беседы с изначально поставленным вопросом:

– Когда я служил срочную на эсминцах, у нас кок готовил гуся так. Он привязывал ему к лапкам веревочки, потом пристраивал гуся себе на... э-э... сзади ниже талии, а веревочки связывал у себя на животе, как раз над пряжкой ремня.

– И садился с гусем на сковородку? Гусь-табака по-флотски? Оригинально. Согласен.

– Нет,– терпеливо продолжал механик.– Сковородка потом. Он перетаскивал гуся вперед. Вроде как женщина может застегнуть бюстгалтер спереди, а потом перетащить на себе на сто восемьдесят градусов в нормальное положение, ну, чтоб удобней было, и тогда уже вложить... как надо... понятно.– Он

очень старался излагать на высоте приличий.

— Действительно, если бюстгалтер сзади, то вложить как надо не очень удобно,— согласился профессор. Три стопки спирта были его нормой, и он чувствовал себя в ударе.— Нам остается выяснить, как кок использовал гуся вместо бюстгалтера и что он в него вкладывал.

— Как же? Мужской половой детородный пенис,— пояснил механик в медицинских терминах.

— Куда?!

Запас анатомической лексики механика был исчерпан.

— Гусю в жопу,— сказал он, интеллигентностью тона стараясь компенсировать ненаучность выражений.

Одни ученые очки упали на палубу и разбились.

— Зачем?!

— Зачем... Хм! Вы на флоте не служили? А, вы вместо этого учились в университете. Конечно. На эсминцах женщин нет, профессор, тем более студенток. Вот зачем.

Профессор покраснел и растерялся.

— И что же дальше?..

— А дальше самое главное. Он начинал медленно сворачивать гусю шею.

— И... какой же во всем этом смысл? — пытался держать марку глубокоуважаемый профессор Шумский, доктор биологических наук и автор двух монографий, с позором чувствуя себя недоучкой.

— А такой,— торжествующе зазвенел рассказчик,— что гусь хлопает крыльями и елозит, как отпетая... б... б... блядь! — Он свел машущие руки перед гениталиями и изобразил, как именно елозит гусь и как он при этом хлопает крыльями.

— Отпетая блядь, хлопающая крыльями... какой образный язык у моряков! — сказал ученый, у которого разбились очки, и теперь он воспринимал происходящее только на слух, стараясь ничего не упустить.

— И долго он так хлопал? — не выдержал профессор, живо представляя себе эту картину, способную свести с ума общество защиты животных.

— Зависит от желания.

— Гуся?

— Кока! Тут нужно умение. Гусь уже трепещет, и последний момент наступает, когда свертываешь ему шею окончательно! — Под этот танец умирающего гуся механик выразил лицом взрыв восторга.

Два юных аспиранта зааплодировали.

— Что ж с ним потом делали?..

— С коком?

— С гусем!

— Жаркое для офицеров.

Ученые хохотали, икая и кашляя.

— Послушайте, — печально спросил профессор, — почему вы такой циничный?..

— Потому что я вчера женился,— сказал механик.

Ученые легли на палубу и задрыгали ногами.

— На ком? — изумился его научный оппонент, не в силах перестать играть роль кретина помимо своей воли.

— На гусе,— сплюнул новобрачный с презрением к сухопутной тупости.

– Ох-ха-ха-ха!!! Гы-гы-кхх!.. Ха-ха-ххх!..

– Вы жене шею свернули? Или она крыльями слишком долго хлопала? – удачно съязвил профессор.– Печаль понятна. Кстати, из чего ужин приготовлен? Капитан в курсе?

Но механик, одержав явную победу в дискуссии, к ее продолжению утерял всякий интерес. Он махнул рукой, замолк, задумался, вздохнул. И без всяких смешков изложил взгляд моряков на то, какую надо выбирать себе жену. Фригидную. Потому что когда приходишь из рейса, и с такой хорошо, и ей терпеть лишь периодически. Зато в море на душе спокойнее, и жена может хранить верность без насилия над собой. Так-то... А если жена темпераментна, и вдобавок красива, то дома, конечно, замечательно, но это когда ты дома, а когда ты не дома, то дома замечательно уже не тебе, а тебе ничего замечательного, кроме злого воображения и одинокого сами понимаете чего. Никаких условий для нормальной работы! Жизнь...

— А она красивая. И вообще... И прямо после свадьбы — на два месяца в рейс. Чему ж тут радоваться.

И тут ученые вникают, благородно вопят о счастье и верности, хлопают его по плечам, поздравляют, наливают, составляют коллективную радиограмму с пожеланиями счастья и вообще окружают заботой.

— Ты ее любишь?

— Именно...

— А она тебя?

— Видимо да...

— Как зовут-то?

— Стелла. Имя красивое. Звезда значит... — И ищет грустным взглядом звезду, которой полагается уже появиться в небе.

— Так как же ты можешь, что за глупости, гадостные подозрения, брось, ты что, все отлично, — и т. д., и т. п.:

— Это у тебя просто депрессия, бывает, пройдет.

— Поживешь подольше — тогда поймешь, что это тоже счастье: способность страдать в разлуке с любимой женой.

— Вот когда страдаешь без разлуки, и с нелюбимой — это хуже, мужик!..

А красное солнце вдавливается в горизонт, море блещет, чайки кружат, туманный берег тает вдали, и разговор о любви принимает все более прекрасный и возвышенный характер пропорционально понижению уровня спирта в канистре. Тем более что вдохновение самих ученых чудесно подогревается перспективой двухмесячного отдыха от семей.

Они, значит, вдохновенно рассуждают о любви и произносят за нее тосты, а механик говорит:

— В «Кавказском» в половине девятого оркестр начинает играть.

— Это ты к чему?

— Да я ее в «Кавказском» снял.

— Ну и что?

— А то, что она сейчас тоже, наверно, об этом думает...

— Пусть думает, чего плохого?

— А плохого то, что у нее мысли с делом не расходятся. Чего нельзя сказать о ногах,— не совсем внятно добавил он.

— Это в каком смысле?

— В таком, что расходятся.

— Что?

— Ноги.

— С чем?..

— Одна с другой. С чем. С тем.

— Все время, что ли?

— Нет. Как только появляются мысли.

— Да почему ты так думаешь?

— А как мне думать. Что ей еще делать-то.

— Да перестань, не знаешь ты женщин. Она сейчас о тебе думает, вспоминает...

— Знаю я женщин. Думает, вспоминает, а самой от этого еще больше хочется. Повспоминает-повспоминает — и поскачет.

Возникает пря. Стихийно организуется гуманитарное общество «Ученые за любовь и верность». Несут гитару. Профессор читает пятьдесят второй сонет Шекспира.

И тут в полной панике влетает тот ученый, у которого недавно очки разбились. Он пошел надеть запасные очки, и заодно принялся сквозь них смотреть

на все подряд. И то, что он увидел, — вернее, то, чего он не увидел, — вышибло из него все мысли о любви и прочей хренотени.

— Забыли, — трагическим шепотом кричит он и умирает.

— Что забыли?

Забыли. Все бросаются пересчитывать свои драгоценные ящики, контейнеры и приборы. И выясняется, что один ящик с незаменимыми приборами они как-то, видимо, оставили на берегу. На пирсе, вероятно. В суете. Там рядом еще штабель чужих ящиков стоял, и пока все скакали и кантовали свой груз, что в какую очередь на борт волочь, один ящик, наверно, отставили в сторону, да так и забыли. И теперь без этих ценных и уникальных приборов никак в экспедиции работать невозможно. О-ё-ё...

Орут друг на друга, машут руками, хватаются за головы. И валят толпой к капитану.

Выходит капитан. Что за бунт на борту, что за научно-техническая революция?! Излагают проблему, каются, уби-

ваются, и с горячим убеждением тычут пальцами в сторону Ленинграда. Капитан багровеет, скрывается, и выходит обратно из каюты уже в официальном виде, при фуражке. Застегнутый и злой, как цепной сторож, по совместительству работающий и овчаркой.

Ледяным тоном он характеризует состояние современной науки, взывающее к телесным наказаниям и сексуальным надругательствам; и поднимается на мостик. Переговаривается с портом. Срывается на мат. И, благо пару часов всего как вышли, корабль ложится на обратный курс.

Ученые облегченно переводят дух и даже слегка веселеют. Возвращаются допивать. И с винными парами в ученые головы, отравленные ядом материализма и эмпириокритицизма, закрадывается человеконенавистническая (как позднее оказалось) мысль – поставить на живых людях, своих согражданах и братьях, можно сказать, научный опыт с целью проверки сомнительного ленинского тезиса насчет того, что практи-

ка есть критерий истины. И профессор кричит:

— Давай сюда этого Отелло! И всем молчать. Сейчас я ему устрою... гуся с крыльями... паршивец. Сопляк.

Доставляют механика. Профессор отводит его в сторонку. Подзывает двуочкового паникера. И говорит механику:

— Значит, так. Никому ни слова. На самом деле мы возвращаемся из-за тебя. И я тебя заставлю убедиться, кто знает жизнь и женщин. Ты меня понял?

В самом деле, предоставляется дивный, фантастический случай: разрешить все сомнения, воочию убедившись, чем же наконец занимается подозреваемая новобрачная.

Механик теряет дар речи. Очкарик въезжает в ситуацию и начинает кивать в подтверждение так энергично, будто хочет снова стряхнуть на палубу очки, что ему и удается. Профессор вцепляется в жертву и волочет в ученый круг:

— Я предложил нашему другу пари на ящик армянского коньяка. Мы спорим, что жена ему верна. Разбейте руки!

Все. Вот за это мы и выпьем, когда после рейса он выставится.

Изумленный механик осознает, что ему предлагают беспроигрышную лотерею: или жена блюдет святость семейного очага – или в комплекте к рогам бесплатно прилагается ящик коньяка: в качестве анестезирующего средства, так сказать, при этой болезненной для некоторых процедуре прорастания. Почему-то эта перспектива его не радует. Он реагирует неадекватно:

– Вы хорошие люди, – прочувственно говорит он. – Как-то и неловко обдирать вас на ящик коньяка.

Экспедиция хохочет. А механик смотрит на часы:

– Приняла уже. Уже танцует... животом трется...

– Проспорить боишься?

– Знаете, – обижается механик, – говорят, спорят дурак и подлец: дурак – кто не знает и спорит, а подлец – знает и спорит. Я не хочу ничего плохого сказать о присутствующих, но подлецом быть неохота.

Возникает горячая дискуссия о доминирующей роли двух упомянутых категорий населения как в семейной жизни, так и в ее разрушении.

– Ты давай коньяк готовь!

– Товарищи... не надо, а? Давайте повернем обратно!

– Поздно!

– Вы не имеете права! – упирается механик.

Но покровительство науки над новобрачным приняло необратимый характер. Натренированные опытами на крысах и мушках дрозофилах, ученые вцепились в жертву с хирургическим уже интересом.

Пенный след за кормой, и близится загадочный берег.

И два часа до порта все больше накаляется это противоестественное препирательство: все – верна! муж – фигу вам! Примеры из литературы, науки и жизни! Уже плевать на жену, уже коньяка хочется. Уже и на коньяк плевать, дело в своей правоте и понимании жизни. На принцип дело пошло.

Ученые поют гимн верности, а механик, тля, ведет хронометраж:

— Уже снялась моя Стеллочка. Уже коленками под столом трутся... Уже он трюльник швейцару кидает такси подогнать...

И приводит всех в бешенство своей тупой несговорчивостью.

В два ночи пришли. Только ошвартовались — депутация скатилась на стенку, у ворот порта хватают две тачки и мчатся по указанному адресу.

Выскакивают у подъезда, как группа захвата. Возглавляет механик с ключами, следом — профессор с фонариком. На цыпочках по лестнице.

— Тс-с!..— шипит у дверей механик.— Фонарик рукой прикрой.

В квартире накурено. На вешалке — мужской плащ.

— Ну?! — торжествующе указывает механик.

— А не твой?..

Остатки лирического ужина на столе. Две рюмки, две вилки, недопитая бутылка. Пепельница бычков.

— Теперь-то поняли?!

Пиджак на спинке стула, туфли сорок пятого размера.

— Так с кем вы спорили, салаги? — победно хмыкает механик. Берет у окаменевшего от неожиданности профессора фонарик и светит на подушку.

Симпатичная такая светленькая женская головка, и рядом — ядреный чан с усами и бакенбардами...

Мужик щурится под лучом, различает мрачную толпу в темноте, и в ужасе выкатывая глаза пытается сделать вдох.

— Вылазь, — страшным шепотом командует механик.

Мужик дергает ртом и падает на пол. Убивать его пришли.

— Бери шмотье и вали мигом. А то передумаю.

Тот хватает штаны и исчезает, вот он был — и нету. Это ведь в анекдотах смешно — «муж вернулся», — а в жизни бывает кошмарно.

Толпа застыла. Говорить нечего. Как бы тоже страдают.

— Ладно, ребята,— говорит механик.— Кина больше не будет. Вы свое сделали. Идите теперь все. На судне увидимся.

А оставшись вдвоем со спящей пьяной женой, механик вздохнул душераздирающе, опустился на стул, закурил. Слил в стакан остатки из бутылки и засадил. Курит и на жену в темноте смотрит.

А делать нечего. До утра далеко. Мыслей никаких не собрать, да и выпито изрядно. В сон клонить стало. А что еще делать.

Разделся он и лег в кровать. К жене под бок. Голая, теплая, посапывает уютно и ногу на него закидывает. И совершенно понятно и естественно, что через какое-то время вступает он в обладание законной и желанной, хотя и вероломной, супругой.

И она, медленно пробуждаясь от сна таким комфортным образом, начинает разделять его страсть, впивается ногтями ему в спину и вскрикивает:

— Сашенька!..

На что получает хмурый ответ в ритме движения:

— Какой я тебе... на хрен... Сашенька... сука!.. Виктор я... муж твой... законный!!!

Дыхание ее останавливается, она открывает глаза, и судорога безумия поражает ее тело. От боли в заклещенном месте он вопит и взлетает в воздух, и дергает ее за собой, как на буксире, и тут уже истошным криком заходится она. И эта нечеловеческая композиция, эти сиамские близнецы из фильма ужасов, скачут по комнате и орут, сметая мебель.

Реакцию благодарных и любознательных соседей нетрудно себе представить. Сначала приехала милиция, и лишь потом вызвали «скорую». Бывалые ребятки в джинсах из-под халатов вкатили ей релаксанты, расслабили мускулатуру и покончили с этим безобразным положением.

Милиция бессердечно похмыкала и укатила, «скорая» же задержалась, потому что несчастная баба не прекращала монотонно подвывать, и глаза у нее горели диким внутренним огнем. В этом огне пылали и рассыпались ее представ-

ления о действительности, ибо не может разум примириться с таким бредом наяву, как проводить мужа на два месяца в море, снять в кабаке хахаля, заснуть с ним в койке – и проснуться с мужем. Это же сумасшествие.

От сумасшествия ее лечили два месяца. В дурдоме.

Через два месяца он вернулся с моря, она – с Пряжки, они опасливо встретились и развелись к черту.

Ученых механик с тех пор ненавидит. Профессор при виде его переходил на другой борт.

А в «Сайгоне» скоро появилась обретшая знаменитость барменша Стелла, которая, последняя от входа стойка слева, варила лучший в Ленинграде кофе, ценимый знатоками, пока в восьмидесятом году не съехала перед самой Олимпиадой на постоянное место жительства в Канаду. Она строила мужикам глазки и посмеивалась, но близко знавшие ее люди утверждали, что вообще она предпочитает женское общество. Что тоже можно понять.

# МИЛЕДИ ХАСЯ

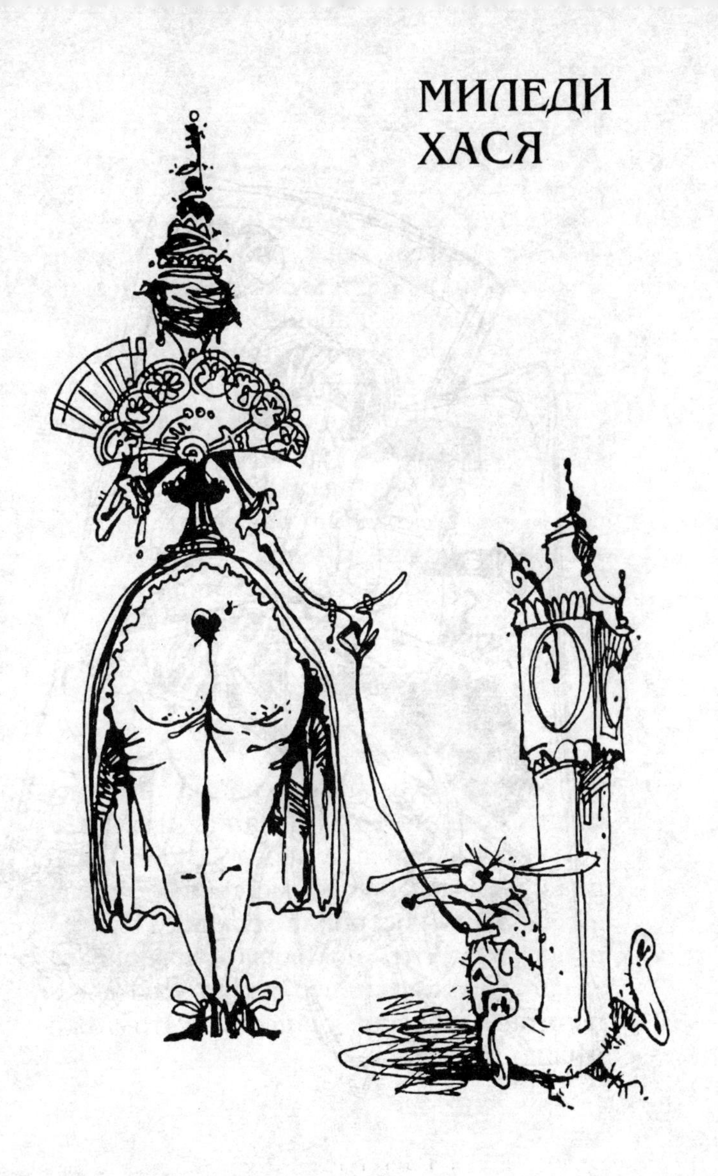

Если от Петербурга вести по карте налево и вниз, то ваш палец скоро окажется в Европе. Тот, кто откроет способ так же легко и дешево перемещать в Европу не только палец, но и все тело... но тогда, вероятно, Главное управление пограничной охраны и таможен начнет выпускать карты с мышеловками на границах. Пока они до этого не додумались, ведите скорей палец вверх и он попадет в Англию — и постарайтесь не промахнуться, чтоб не попасть в Гренландию, там нам ловить нечего.

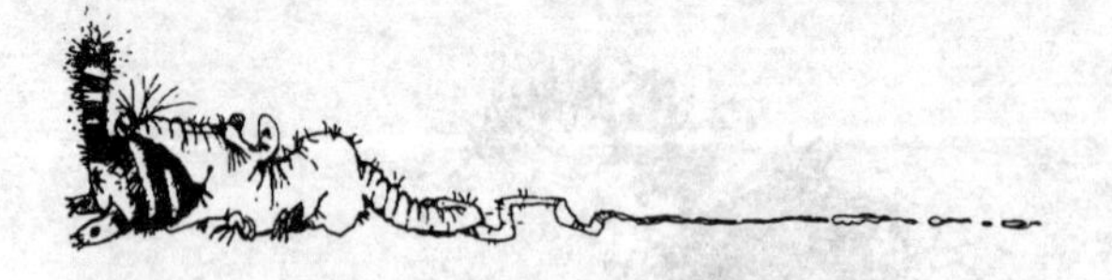

Англия – родина европейской демократии, Шекспира и фунта стерлингов. Стерлинг в переводе означает серебро. Перевод помогает понять разницу между Англией и Россией, где исторически привыкли фунтами мерить лихо.

Теперь отточите на пальце ноготь и найдите город Шрусбери. Городишко небольшой и даже скучный, однако скандалы и там случаются. Устаревшим и наивным выглядит сегодня утверждение, что за любым международным скандалом кроется рука Москвы; Москве давно не до чужих скандалов – своими всех развлекает. Но, как любил говорить легендарный английский разведчик Арминий Вамбери, «старые истины самые верные – они проверены временем». Ковырни чуть глубже любое примечательное событие: без наших людей не обошлось. И мы научились обретать в этом известное патриотическое удовольствие. Мы тоже в мире кое-что значим.

Не обошелся без наших и захолустный Шрусбери: три года назад девушка

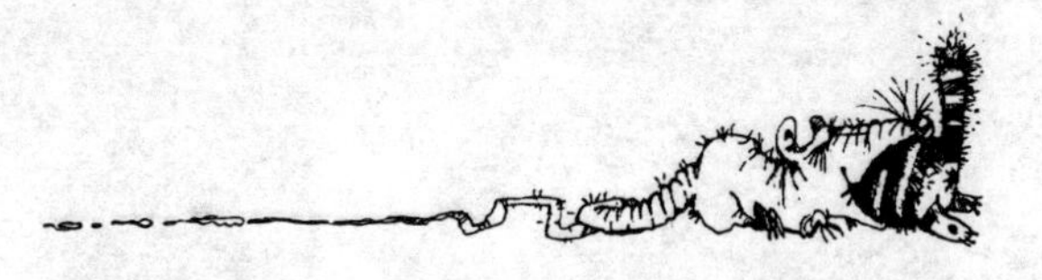

Хася увеличила его население на одного человека. Вообще-то мама назвала ее для красоты и маскировки Наташей, но это была попытка обмануть природу столь же безнадежная, как назвать кошку Полканом. На ней было написано, что ее зовут Хася, вот все ее так и звали.

Хася мечтала о красивой жизни. Без бандитов, грязи, невыплаченных зарплат и проституции как базы материального благополучия девушки. Она была романтиком. А вы им в юности не были?.. пока суровая действительность не отрезвила вас... но о вас будет другая история.

Но ее романтизму пошли навстречу добрые и услужливые ребята. Они организовали в Петербурге фирму по предоставлению компаньонок приличным семьям в приличных странах. Они носили турецкие кожаные куртки и итальянские шелковые галстуки и ездили в джипах-«Чероки». При виде их хотелось перейти на другую сторону улицы и проверить бумажник в кармане и золотые коронки во рту.

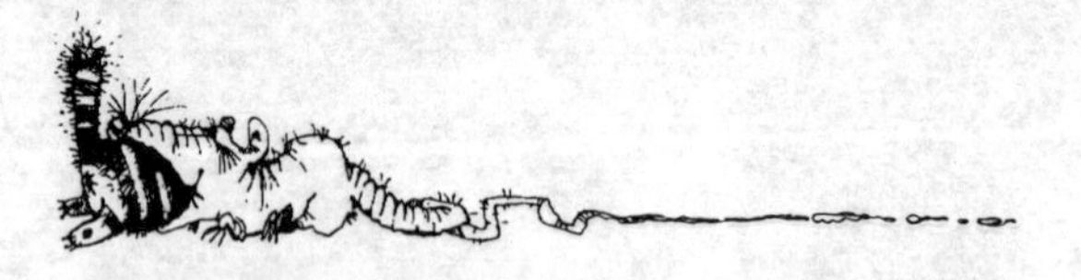

— Что бы о нас ни говорили, мы честные люди, — пожаловались они Хасе. — Вы оплачиваете только оформление документов и почтовые расходы, и только в рублях. Остальное, после вашего прибытия на место, платит нашей фирме хозяин, у которого вы живете, питаетесь и, между делом помогая что-нибудь посемейному в доме, получаете деньги на личные английские удовольствия. Расписаться вот здесь... возьмите, пожалуйста, копию контракта. Билет? бесплатно, девушка, что вы — платит за все фирма!

Хася еще не знала, что бесплатным бывает только сыр в мышеловке.

И она, спотыкаясь на каблуках, побежала на курсы английского языка, освежать школьное «Пит хэз а мэп». А вечерами читала историю Англии: дивная страна! — буковые аллеи, умеренный климат и нерушимый традиционный порядок. Порядок представлялся в виде вежливых стройных констеблей, подающих забытые покупки.

Через полгода добрые ребята позвонили: на старт! Почтенное семейство в

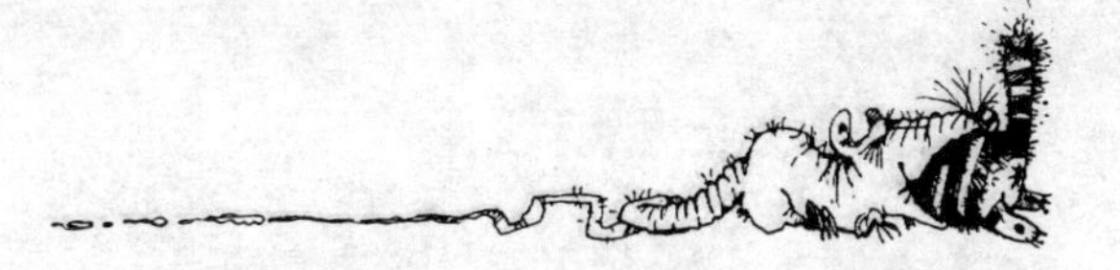

столице старинного графства сучит ногами в нетерпении: когда же она падет в их британские объятия?

И лайнер взмыл из Пулкова — как пели английские бомберы полвека назад «на честном слове и на одном крыле». Нет, с крыльями было все в порядке, но насчет честного слова тут кое над чем можно было бы и задуматься.

Глаза у Хаси, свалившейся с неба в Лондон, были, как вы догадываетесь, по чайнику, а уши развешаны, как у слона, когда он после купания сушит их с прищепками на бельевых веревках. В Хитроу она сразу увидела представителя фирмы: он был в турецкой кожаной куртке и итальянском шелковом галстуке. Он проверил адрес и запихал ее в автобус, снабдив на дорогу пакетиком чипсов. И через четыре часа она прибыла в Шрусбери, исполненная готовности жить красивой жизнью.

Если вам когда-нибудь удавалось пожить красивой жизнью, напишите мне, и я заплачу за рецепт договорную цену, а то уже старость близко.

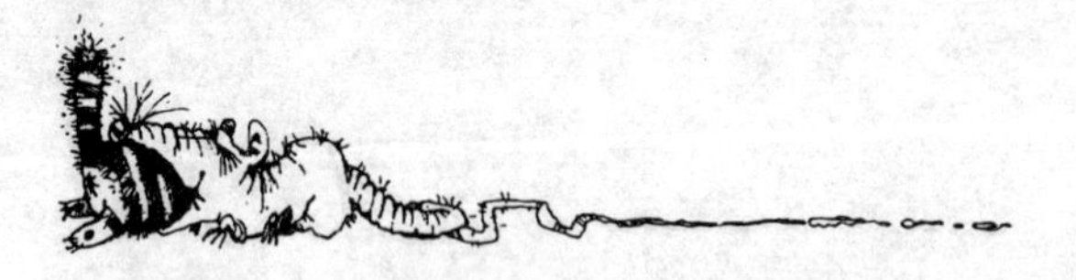

Потому что почтенное семейство, состоявшее из нестарых супругов с тремя буйными детьми, нуждалось скорее в Дяде Томе со всеми трудоспособными неграми из его хижины, нежели в интеллигентной петербургской девушке. Коттеджик был двухэтажный, а дети были помесью шейкера с саранчой. Уяснив объем плановых работ, Хася впала в коматозное состояние, из которого ей не хотелось выходить. Вы слышали об экспериментальных чудо-домах, мечте хозяйки, где все делается автоматически, по щучьему велению? Вот «неприхотливой и работящей девушке из России», как гласил рекламный проспект разбойничьей фирмы, и предназначалась роль такого автоматического чуда, по совместительству – щучьего веления. Может, «неприхотливая и работящая» и справилась бы, пыхтя и отдуваясь, но Хася была из интеллигентной петербургской семьи, и совсем не для того назвала ее мама Наташей, чтоб она изображала взмыленного робота с характером доброй феи в десятикомнатном гнезде

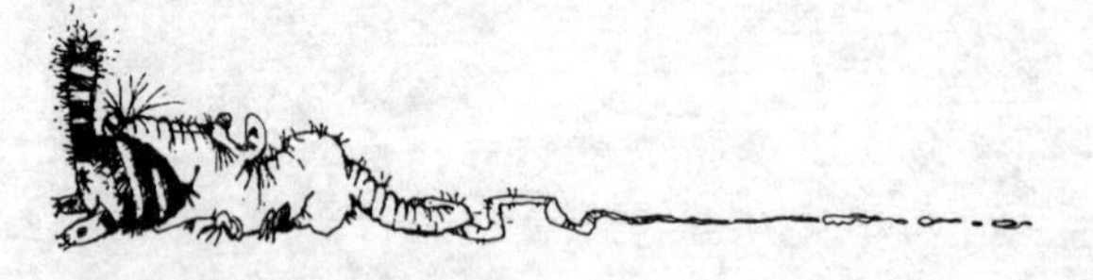

великобританского бумагопромышленника, хоть он и поставляет сырье для всемирно знаменитого бристольского картона.

Слушайте, об этом можно писать роман в пять раз толще «Джен Эйр». но поскольку вам некогда читать романы, а мне некогда их писать, не говоря о газете, которой некогда их печатать, то я рассказываю вкратце, а подробности вы себе легко можете представить.

С шести утра до половины седьмого Хася проклинала свою жизнь, а затем приступала к следующему пункту распорядка дня: она варила овсянку. На это варево не польстилась бы и гиена. Хася не умела готовить. Но дети ели. Они были юные британцы, потомки Империи, и ели все, что могли разжевать.

Пеленки самого юного отпрыска машина стирала автоматически, и если бы при машине не было Хаси, номер с автоматизмом у машины, может, и прошел бы, но Хася управляла процессом,

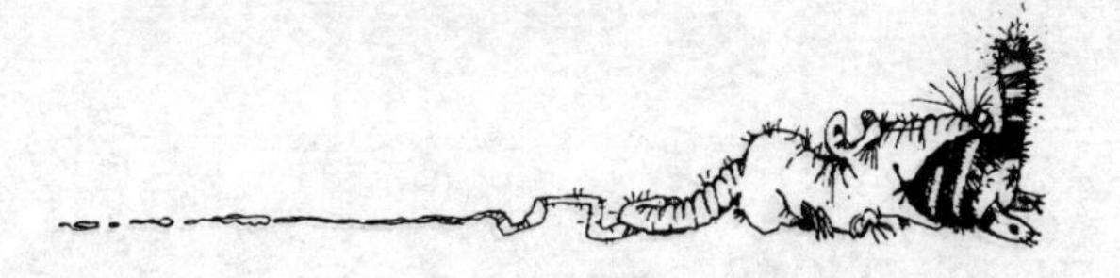

и психологически несовместимый с русской душой германский агрегат капитулировал и издыхал, пуская мыльные пузыри.

Кроме того, у нее обнаружился пространственно-временной идиотизм и, уходя за покупками к обеду, она приносила к ужину совсем не то, что отчаялись съесть англичане три часа назад. Реакцию хозяйки можно объяснить только железной английской выдержкой. Но через месяц такой жизни леди Макбет по сравнению с хозяйкой показалась бы сестрой милосердия.

Через месяц же Хася впервые получила денежное довольствие — шестьдесят фунтов на карманные расходы. Остальное, по контракту, получала фирма; пункт был замаскирован столь хитро, что обалдевшая компаньонка еще неделю не могла понять разъяснений хозяина. А поняв, зарыдала ему в плечо.

Хозяину было приятно, что Хася рыдает ему в плечо. Потому что она была красива. У нее были черные кудри, карие глаза, стройная фигура и высо-

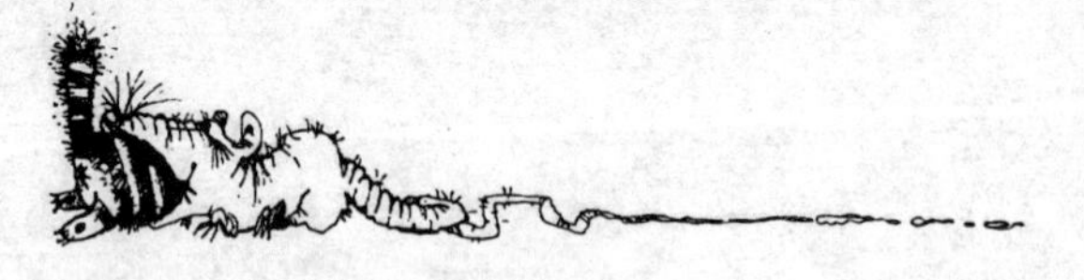

кая грудь. В отличие от хозяйки, которая, как истая англичанка, сделала бы честь конкурсу гибридов лошади и селедки.

Хозяин стал утешать Хасю. Он подарил ей деньги на экскурсию в Бирмингем и дал выходной. И сам вместо деловой поездки сгонял в Бирмингем. Там он покормил ее в ресторане, купил недорогой браслет, снял номер в отеле и утешил ее тем древним способом, который ограниченные мужчины полагают предельным.

Скотч и портвейн были выдержанными, чего нельзя сказать об одинокой Хасе, выдержка которой кончилась, и она наконец явила хозяину, чего она стоит на самом деле и для чего предназначена матерью-природой; и утешитель узрел небо в таких алмазах, что будь он не картонажник, а ювелир, то мог бы подгрести под себя весь концерн «Де Бирс». В ней вообще было призвание скорее к этому, нежели к варке овсянки. И хозяин, как истый британец и бизнесмен, проанализировал ситуацию.

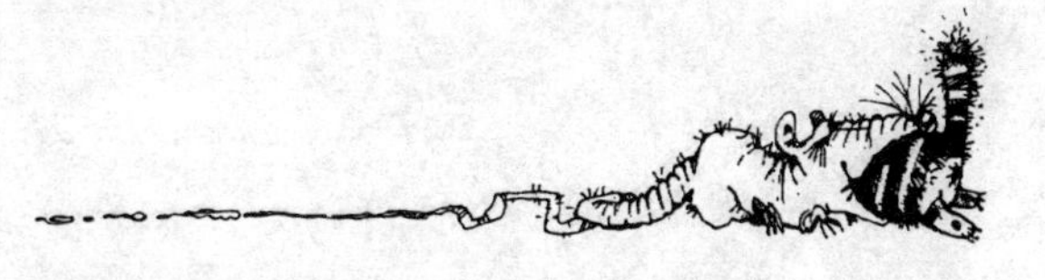

Жениться на русской модно, а на молодой и красивой – приятно и престижно. Не вредно и для деловых контактов. Дело обычное: сколько звезд вышло из секретарш и экономок посредством, как бы это выразиться, личного обаяния.

В результате не прошло и года, как хозяин развелся, джентльменски оставив жене дом с барахлом и дивные алименты, и женился на Хасе. Он бы, возможно, и не женился, но, крепко наживив червячка на крючок, она отказалась иначе ложиться с ним в постель. И он трезво рассудил, что ж за глупость все равно платить деньги и не получать за них удовольствие.

История была бы банальной, если б этим кончалась. Но это отнюдь не конец нашего краткого и насыщенного романа.

Потому что хозяйка на свои алименты сдала старших детей в приличный пансион, младшему наняла новую няню (только англичанку!), а сама засела за отделы объявлений газет и законтракто-

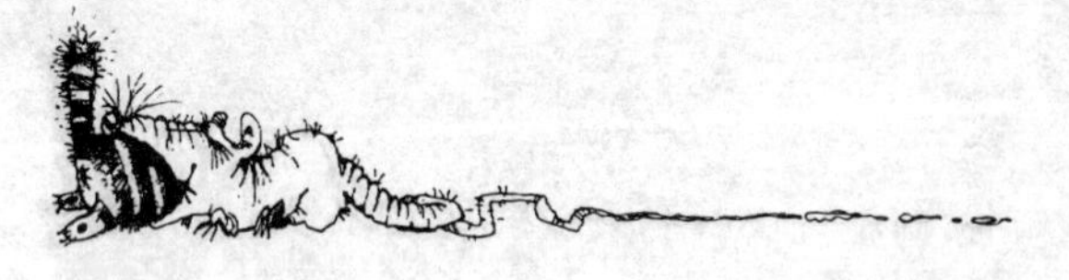

валась на год в загадочный Петербург: посмотреть, откуда взялось такое чудо, как Хася. Очевидно, зрение у нее было что надо, потому что через год Шрусбери вообще прибалдел. И было от чего.

Она вернулась из Петербурга с русским мужем. Он был молод, красив, высок, и по сравнению с ним прошлый муж выглядел эскимосом, забывшим посморкаться. Правда, в нем быстро открылось решительное отвращение к любого рода деятельности, кроме езды на машине и игры в карты. Если за лихость езды с него взимала деньги полиция, то за игру он сам лихо взимал со всех, кто имел наивность с ним перекинуться. Жена утешалась тем, что джентльмену и плейбою это даже идет, а что касается денег, то у нее ведь был некоторый постоянный доход. Но благодаря его успехам постоянный доход начал как-то превращаться в переменный.

Тесный городок, хвосты семейных связей, – естественно, он не мог в конце концов не познакомиться с Хасей.

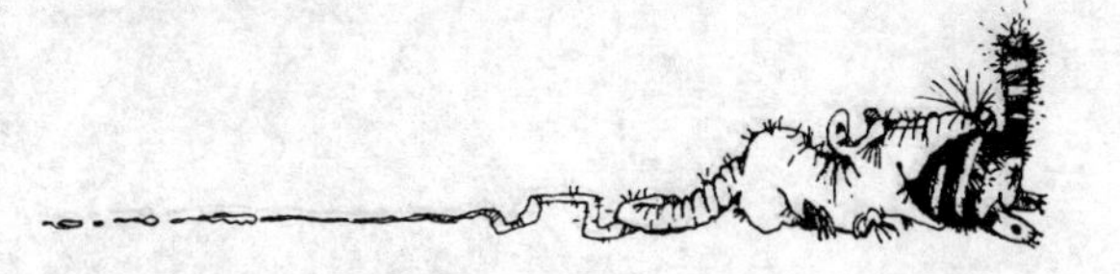

И они сочли, что вполне созданы друг для друга.

Любящие сердца устремились к соединению, круша обломки семейного быта несчастных англичан с танковым грохотом. Английская жена научилась бить посуду, а английский муж бил себя по голове. А Хася с каталой летали загорать в Испанию и развлекаться в Париж. Наконец-то настала красивая жизнь; причем фирма-посредник, получается таким образом, выполнила-таки свои обещания!

Когда газетчики скандальной семейной хроники истощили свое остроумие, а английские пациенты истощили свое терпение, любовный четырехугольник совершил очередную рокировку. Пары утряслись по национально-ментальному признаку, невысморканный эскимос обнял свою селедку, дети обрели отца, а Хася с каталой нагло венчались в городской мэрии по англиканскому обряду.

Англичанин стал зоологическим шовинистом и жертвует деньги лобби, про-

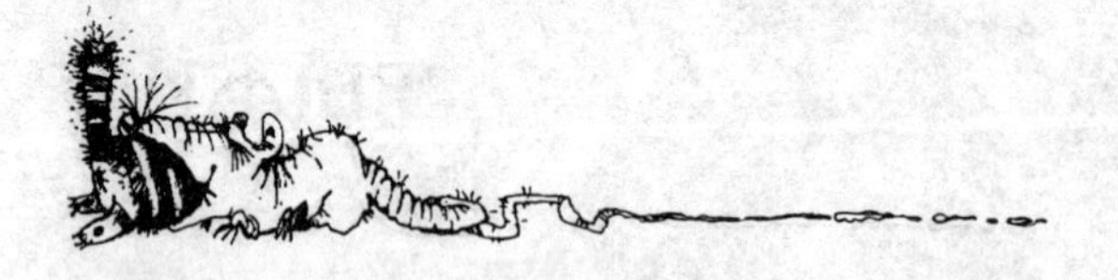

талкивающему законопроект о запрете иммиграции в Англию. А Хася родила ребенка, от рождения получившего все права гордого бритта, и живет как добропорядочная леди. И когда англичанин встречает на улице этого пацана, растущего и здоровеющего на его кровные денежки, он спешит в церковь и горячо молит Бога отвести от него искушение в смертоубийстве.

# РЫЖИК

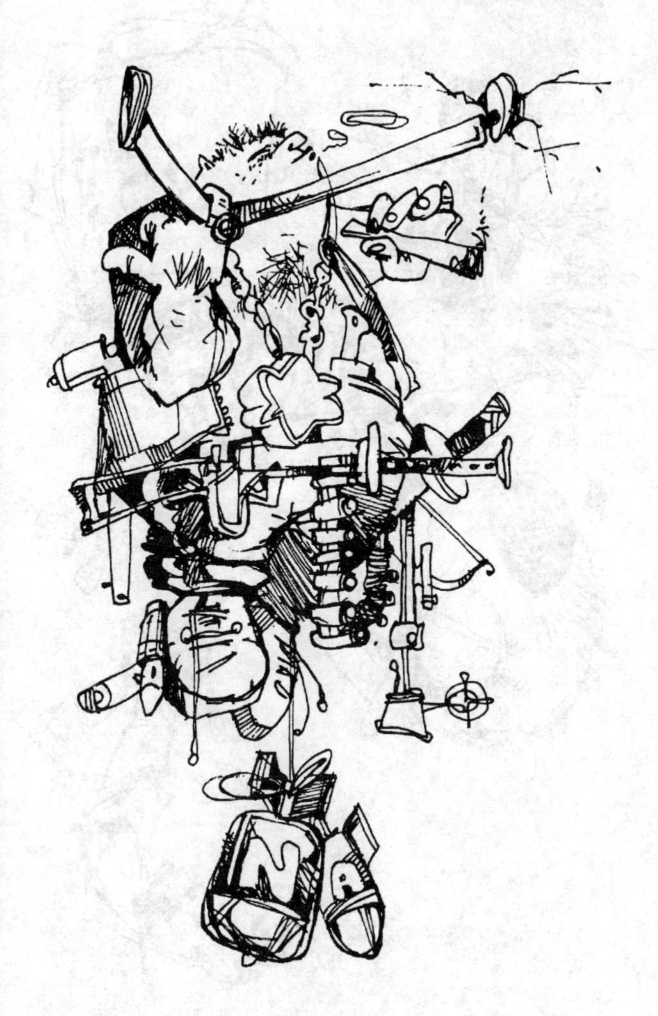

...Легче перепрыгнуть, чем обойти. Росту в нем сто семьдесят, а веса – сто три килограмма. Эти сто три килограмма он три раза подтягивает на одной руке.

Из одежды по этим причинам предпочитает тренировочный костюм и безразмерную кожанку.

Масть рыжая, веснушки россыпью, нос картошкой, и над добродушнейшими глазками ресницы бесцветные хлопают.

И украшен этот пейзаж златой цепью на манер лорд-мэрской, однако висит на ней не ключ, а откровенный могендовид.

Если б этот парнишечка (сороковник разменял) работал натурщиком у художников-антисемитов, мог бы зарабатывать неплохие деньги. Он и зарабатывает неплохие деньги, но немного в ином качестве. Начальником охраны в одной скромной московской фирме. Фирма свою деятельность не афиширует и на «мерсах» не ездит, но стоит настолько неслабо, что организует всякие международно-культурные сборища и вбивает в благотворительность немереные деньги. А вот такие там ребятки с интеллигентными идеалами подобрались. Все бывает.

И вот в этом-то городишке, где национальным видом спорта стала стрельба по движущимся мишеням, колорит а'ля рюсс, фирма эта крыши не имеет. Крышей работает Рыжик лично.

«Понимаешь, волк ведь в лесу — он не всех дерет подряд, тоже разбирается: зайчик там, барсук, олень. А вот стоит кабан, секач с клыками, боец. Тут серьезно подумать надо. Да ну его на хрен, еще неизвестно, чем кончится. Пойду поищу что-нибудь полегче...»

Тут он как-то в хорошем подпитии провожал друга с Казанского вокзала и только возвращается к ожидавшей машине – вечер, темь, – подходит милая такая девушка с сигаретой и осведомляется насчет зажигалки. Лезет безвредный пьяный толстяк в карман – и получает в лицо струю из баллончика. Уклониться он успел не совсем, нюхнул чуток газку и озверел. А периферийным зрением ловит: двое ребят уже подбегают к нему. Один поехал в реанимацию с переломом позвоночника, второй – с разрывом печени, девушка отделалась переломом руки. «Я все-таки немного подстраховывал, чтобы не убивать. Ситуацию ведь я контролирую». Это оказалась мелкая банда молдавских гастролеров, которую три месяца «не могли» взять.

Всегда симпатичен контраст: внешне человек не может ничего, а на самом деле – все. К Рыжику надо присмотреться – тому, кто понимает, чтобы учесть, что толстые ручки у него в запястье шириной с колено и неплотно прилегают к бокам – под жиром мышцы мешают, и

славные глазки иногда принимают выражение, по сравнению с которым актер в роли убийцы — это мать-героиня.

Из кадров он уволился в тридцать семь лет. Спецподразделения рассыпались. Последняя должность его в армии была — инструктор рукопашного боя группы «Альфа». На минуточку. Это трудно себе представить, что должен уметь человек, чтобы в группе «Альфа» быть инструктором рукопашного боя.

Так, вдобавок этот еврей-толстяк-убийца-супермен женат на кореянке. Это не совсем обычная кореянка. Ее дедушка (в переводе с корейского на более доступный нам японский — сэнсэй) до сих пор протыкает пальцем стены, разбивает взглядом бутылки — и тому подобные восточные развлечения. Вы много встречали евреев-альфовцев, которые в отпуск ездят на деревню к дедушке в Корею и там совершенствуют свое рукомесло как дань родственному уважению? Дедушка мечтает, чтобы Рыжик переехал в Корею, и было кому передать свою школу боевого искусства, но Рыжик не хочет в Корею

насовсем, потому что там нету евреев и не с кем поспорить о Талмуде и ТАНАХе.

А дедушка души не чает во внуках, рыжих и узкоглазых. Можете себе представить эту гремучую смесь!

Сам-то Рыжик в детстве был существом кротчайшим и забитым. Родом он из местечка под Винницей, классическая черта оседлости. И его собственный дедушка был отнюдь не бойцом. Близко не. Его дедушка был цадик. И не просто цадик, а какой-то уже в особенности почтенный цадик, к которому еще в старые времена знающие люди приезжали со всей Украины, чтобы потолковать о разных святых, но спорных и малопонятных вещах.

Взгляды на святость у дедушки были свои. И он вбивал их во внука в буквальном смысле – палкой по хребту. Невинный хребет отдувался за непослушную голову, которая не успевала вмещать трехтысячелетнюю иудейскую мудрость в дедушкиной интерпретации. Мудрец был хил, но крут. Легок на слово и тяжел на руку.

Тору требовалось знать так.

Дедушка раскрывал книгу наугад и накалывал любое слово иголкой. Нужно было продолжать читать текст наизусть со слова, проколотого не на этой, а обратной, невидимой стороне листа.

Имея натурой копию дедовской, мальчик уважал Писание, но категорически не принимал то, что ему не нравилось. Не нравилось ему уложение о наказаниях, а в особенности его неукоснительное применение. Два полушария юного мозга работали в двух диаметрально противоположных направлениях: одно учило хитросплетения иудейского Закона, а другое алкало мести и торило пути к ее осуществлению.

Поднимать руку на дедушку-цадика было решительно невозможно, но нигде не написано, что нельзя бить всех остальных. Но можно-то оно можно, да кто ж ему даст? Он пробовал бить других мальчиков, менее преуспевших в учении, и в жизни стало одним горем больше: теперь его били все. Хилость и агрессивность – малоперспективное сочетание.

Тем временем мальчик пошел в школу, а в школе были спортивные секции, а

в спортивных секциях был недобор, и его взяли на вольную борьбу – для пополнения списка. И вот там он, пыхтя и скуля от злости, стал возиться на ковре, изворачиваясь и напирая на противника всем своим петушиным весом. Он стал бегать, заниматься гантелями, а наибольшее наслаждение доставляло ему подтягиваться рано утром на дедушкином посохе, положив его на открытые двери кухни и сортира. Это был утонченный и даже философский род мести – превратить орудие наказания в орудие своей силы.

В борьбе плохо одно – противника нельзя треснуть. А секции бокса в школе не было. И в четвертом классе, получив третий юношеский разряд по борьбе, он стал ездить на бокс в райцентр. В пятом походя лупил полшколы, и из этой школы его в конце концов исключили вообще за рецидивистское хулиганство – была такая мера наказания.

Тут мнения в семье разделились. Мать плакала, отец держался за голову, зато дедушка встал горой в поддержку, беспрекословно заявив, что будущий ве-

ликий цадик, надежда семьи, таки должен уметь за себя постоять среди неверных и идиотов, а все эти ложные школьные премудрости его, в сущности, только отвлекают от истинного знания.

Но поскольку учиться все-таки надо, результат этого неординарного коллоквиума оказался вполне в традиции соломонова решения: вундеркинда и хулигана поместили в областную спортивную школу-интернат.

О! Бодливого козленка пустили в огород. В шестнадцать у него были первые взрослые разряды по боксу, вольной и самбо, в семнадцать он стал чемпионом области среди юношей, в восемнадцать был кандидатом в мастера, и его взяли в армию – не за спортивные успехи, разумеется, а на общих основаниях.

На общих основаниях он не прослужил ни одного дня. Сначала естественным путем его зачислили в спортроту, оттуда забрали в спортроту округа, однако после выигрыша окружного первенства выдернули как бы вбок – в спортроту ВДВ, откуда перекинули в спецназ, где недолго пого-

няли и промяли, как в молотилке, и перевели в часть, условно называемую особым отдельным диверсионным подразделением.

Вот там уже всерьез стали учить убивать всеми мыслимыми и немыслимыми способами. Если серьезные курсанты-десантники сдают зачет по владению саперным и шанцевым инструментом в качестве холодного оружия, то элитного класса диверсант — это кошмарный сон общества противников смертной казни и предмет черной зависти трюкачей Голливуда. Он рубит руку листом бумаги, за семь метров щелчком метает в горло бритвенное лезвие и является тем бойцовым зверем, который есть тактическая единица сам по себе.

В семьдесят втором году их всемером кинули в Венесуэлу выправить положение у прокоммунистических партизан и взять один городишко, так уже по дороге они напоролись на два взвода американских рейнджеров, и стало у США двумя взводами рейнджеров меньше.

Их ребятки были во Вьетнаме, в Анголе, в Индонезии — солдаты Великой Империи. Ага. Впереди пятьдесят лет не-

объявленных войн, и им подписали контракт на весь срок.

«И вот, значит, в начале осени семьдесят третьего опять переводят меня в некую отдельную сводную роту хрен знает какого неясного назначения. Комиссия, анкеты. И в лагеря – притереться на взаимодействие.

Странная какая-то рота попалась. Я вожу все, что ездит, и стреляю из всего, что заряжается. А тут и спецназ, и морпехи, и саперы – ни хрена не понять. И дрючат нас на протыкание обороны и уничтожение управления и связи. При чем тут я?! Это чистая задача десанта.

И тут оказывается, что есть еще занятия по языку. И не по какому-нибудь, а представьте себе, по ивриту! Ни хрена себе, думаю. Ага. И нас на иврите двое – я и еще один парнишечка с гебраистики Института военных переводчиков. Я еще смотрел – что за несколько козлов бестолковых, как это чмо сюда попало?! Так еще двое знали арабский.

Ну че, это уже проясняет картину. Можно понять.

В конце сентября нас всех переодевают в штатское, сажают в самолет, и вылезаем мы в Одессе. Сажают по машинам, везут. Куда везут – естественно, не знаем, но догадываемся. Можно представить.

Ночь, порт, пароход, трюм – закачало. Поплыли, значит.

Из трюма не выпускают, пищу доставляют, качать крепко стало, отдельные личности блюют. Материмся. Скучно.

Качать перестает, опять же ночью. „На выход! Вольно, не в ногу“. Трап под прожектором, крытые грузовики у стенки и насмешливый голос из темноты: „И этих укачало!“

Привезли в какую-то пустыню под звездами, построили, переодели в непонятное обмундирование и еще выдали сверху какие-то белые бурнусы. Ну-ну. Ждем, когда скомандуют верблюдов седлать, мля! Засекретили...

Подходит какой-то хмырь с носом и усами. Нос морщит, усами шевелит. Среднее между клоуном и тараканом. „Мля, на кого вы похожи... Какой дол-

бак вас так одел?.. Шлют тут, не спросясь! Ложись! Ползком!“

Ползем. Да что, думаю, за херня за такая.

„Стой! Кругом! Лечь на спину! Ползком!“ Ползем на спине, такой кроль по барханам. Грюпнулся он, что ли?

– Хорош! Ну-ка... Ну вот, хоть не так вас в темноте видно в этих саванах. В грязи б вывалять, да нет ее здесь, мать их. Так. Сварщики есть среди вас?

Вопрос идиотский. „Сварка“ – крупнокалиберный пулемет, чего ж из него не стрелять, но мы ж не специально пулеметчики. И тут один голос подает:

– Я сварщик.

– Слава Богу. Пошли со мной. Так, разобрались в колонну по четыре, правое плечо вперед, шагом марш!

Приводит в какую-то траншею, сварщика тычет к пулемету.

– Видишь – вот там огонек? Погаси-ка мне его.

Тот мнется и говорит:

– Да я вообще-то из пулемета не умею...

— Что-о? — скрипит наш усатый Карлсон.— А что ты тогда умеешь? Ты вообще кто такой?

— Так сварщик я.

— Так какой же ты на хрен сварщик? Ты чо вообще умеешь? Ну, прислали котят на мою голову!..

— Варить умею. Любые сплавы. Сварщик пятого разряда.

Мы валимся на дно траншеи и хохочем. Нет, это спектакль, за это деньги надо платить!

— Тебя откуда такого взяли?!

— Отдельный саперный инженерный батальон.

— Ну, сука, я чувствую, вы мне тут навоюете.— Капитан тычет из станкача в огонек длинной очередью, там гаснет.— И всего-то делов.

А мы что? Спрашивают — отвечаем, не спрашивают — молчим. Не такая часть, чтоб рассказывать кому ни попадя что не надо. Пусть наверху разберутся, что да как и куда нас сунули.

Наверху разбирались еще сутки, и за эти сутки нас выставили в оцепление по-

лигона. Пока вели по косвенным приметам, наши арабисты сообщили, что мы, вероятнее всего, в Египте. Точно, в Египте. Логично.

На полигоне наши специалисты демонстрировали в действии новую ракету класса „Земля–воздух“ по низколетящим целям. Видимо, ракета была из тех, вместо которых арабы просили потом прислать им ракеты класса „Земля-самолет“. Либо же она работала исключительно по очень низколетящим целям, выбирая их по принципу меньшей высоты. Потому что самолет-мишень прошел квадрат без всяких помех со стороны этих зенитчиков. Зато где-то вдалеке ехал по гребню бархана „газик“ с наблюдателями, так ракета разнесла его в мелкую пыль. Действительно, летел очень низко.

Очевидно, инцидент разобрали с тщанием и оцеплением тоже поинтересовались, потому что у носатого-усатого капитана нас забрали; прощался он с нами, как с родными, и все жалел за неумелость.

А началась ночью какая-то буча, из-за Суэцкого канала стрельба, раздали нам

вооружение до зубов, вплоть до станковых гранатометов, поставили уже нашему собственному командованию задачу, и – по машинам, через понтон на Синай, утром ждать в районе задачу по рации.

При этом воды, как водится, по фляжке, и воду мы самостоятельно набрали в пару бочек, слив на хрен солярку. Воняет, но жить захочешь – напьешься.

Однако утром задачу нам не поставили, а напротив – запросили обстановку. Докладываем: обстановка спокойная, пляж чистый, жаль, что купаться негде. Приказ: укрепить и ждать.

Много ты на ровном песке укрепишься. Ждем. Днем: „Ну как?“ – „Загораем“. – „Ждите“.

Так и переночевали. А на рассвете слышим рычание: танковые моторы. Приготовились к бою на всякий случай, запрашиваем наверх: так как, что? Ждите, отвечают. Мы-то подождем, так танки идут. Ах, как, кто, откуда, сколько? А уже видно: до хрена. Не менее полка, отвечаем. И получаем задачу: оседлать

стратегически важное танкоопасное направление, держать и не пущать.

Нет, ты понял юмор? Собирать суперэлитную часть в качестве противотанкового заграждения. Вам привет из сорок первого года!

Ну что? Мин у нас нет, а если бы и были – ставить их некогда. Рассредоточились по гребешкам, загнули фланги, выделили резерв. Прикинули, как они будут пытаться нас обойти, как выгоднее пройти к переправе, которая теперь, стало быть, за нами. Ящики и всякое барахло навалили на наши ямки – заместо блиндажей.

Подпустили.

А они бодро так из башен торчат, люки водителей открыты, и головное охранение идет вплотную к походной колонне. Только что музыка не играет, мля. А у нас ПТУРСов четыре штуки.

Бздеть нечего, нам надо задержать их всего на час, и авиация поможет, и противотанкисты через час подойдут. Но взаимодействие в бою у израильтян и Египта налажено по-разному, и эту разницу мы ощутили на себе немедленно.

Потому что самолеты над нами прошли в две волны не египетские, а израильские. Первая волна, как мы узнали позднее, а поняли раньше, разбила аэродромы и сожгла на земле авиацию. А вторая очень профессионально, судя по всему, разнесла переправу.

Пока она разносила переправу, мы под шумок подпустили танки на семьсот метров и врезали со всех стволов. Шесть штук сожгли сразу — головное и боковое охранение.

Остальные попятились за барханы и стали по нам бить. Но, во-первых, танковая пушка хороша тем, что траектория у нее настильная, это не миномет, и снаряд далеко-о за барханом рвется. А во-вторых, танк — корова здоровая, его видно хорошо, а из него — плохо.

Пока они так постреливали, мы выдвинули с флангов две группы вперед и еще три машины им сожгли.

Тогда они справедливо решили пустить вперед пешую разведку. Не учли они только одного — что у нас каждый третий — снайпер. Перещелкали с одного выстрела.

Хрен с ним, решили, видимо: раз такие храбрые и упрямые — обойдем. И стали обходить нас справа.

Сожгли двоих ПТУРСами — перестали обходить.

А уже солнце палит, день вовсю, воду с солякой хлебаем. Но только двое легкораненых, и боеприпасов до хрена.

Подобрались они за ближайший бархан, помахали белой тряпочкой и принялись орать:

— Эй, русские, кончай воевать! Вам-то здесь что? Гарантируем: вода, свобода, возвращение домой хоть завтра.

Наш арабист орет в духе, что арабы не сдаются, святую землю освободим, смерть собакам! Из-за бархана лопаются от хохота и отвечают:

— Мужики, кончай лапшу на уши вешать! Арабы, как же! А то мы не знаем, кто как воюет! Сколько вас там? Откуда будете, землячки?

Тут я ору на своем безупречнейшем иврите, что оборону держит противотанковая бригада, подходы минированы, и не фиг им тут ловить, сожжем всех. Со

всеми ругательствами, которые знаю, а знаю я их много, потому что дедушка-покойник не ограничивал себя не только в руке, но и в языке.

Короче, двинули они массой на наш левый фланг, и быстренько двоих головных мы сожгли остатними ПТУРСами. На чем наступление прекратилось.

Если бы мы так берегли свою живую силу и технику — до сих пор бы стояли под линией Маннергейма.

Так весь день до вечера перестреливались потихоньку, а вечером сообщили по радио, что боеприпасы подошли к концу, держать нечем, врукопашную на танки не пойдешь. Или подбросьте — или отводите. Отвечают — постарайтесь ночь их не пускать, а там давайте к берегу — плавсредства перевезут.

В поту, песок под одеждой, мозги плавятся — а тут ночь, прохлада, чего не повоевать.

Они ночью попробовали обойти нас с двух сторон подальше. Но теперь сравни, как виден в ночном прицеле раскаленный танк и как поймать в него голо-

ву над барханом. Еще пару сожгли – и они успокоились.

Посветили ракетами, попалили последним для острастки – и бегом к каналу. Из плавсредств плавает у берега разве что дерьмо. Побросали в воду все, кроме личного оружия, – и вплавь».

За эту командировку Рыжику дали Красную Звезду. Хотя его старший лейтенант получил Героя.

В семьдесят девятом за афганскую командировку он получил Красное Знамя, будучи уже офицером в «Альфе». Затирали, подполковника не дали, и в конце концов это ему надоело.

А там начались новые времена, предпринимательство, общества еврейской культуры, и стал он цивильным человеком, хорошо зарабатывающим и уважаемым членом правления Московской еврейской общины. Абсолютный язык, абсолютное знание предмета и необыкновенная общительность и пробивная сила.

И вот на праздновании Дня независимости Израиля, на приеме в посольстве по этому случаю, сидит он за столом как

раз напротив знаменитого ветерана посольских дел в СССР, лично посла Арье Левина. Пьют, закусывают и приятно беседуют о разном. И Арье Левин, человек резкий и крутой, несколько даже неприятно удивлен тем, что у Рыжика классический иврит чище, чем у него, а знаний в Законе бесспорно больше. И после очередной рюмки переводит мужской разговор на табак, вино и оружие.

И Рыжик, хлопнув крепко, рассказывает ему всю эту историю.

Арье Левин долго молчит, чернеет лицом. Протягивает руку к бутылке водки и наливает ему не в рюмку, а в фужер. И себе в фужер. Мрачно чокается и выпивает. И после этого произносит:

– Парень, ты сейчас насрал мне в душу. Ты клянешься, что вас было семьдесят?

В октябре семьдесят третьего года подполковник Арье Левин командовал головным батальоном в бронетанковой дивизии «Бен-Гурион», которую Рыжик с ротой и держал сутки.

Вот так становятся друзьями.

# РЕЖИССЕР В ЭРОТИКЕ

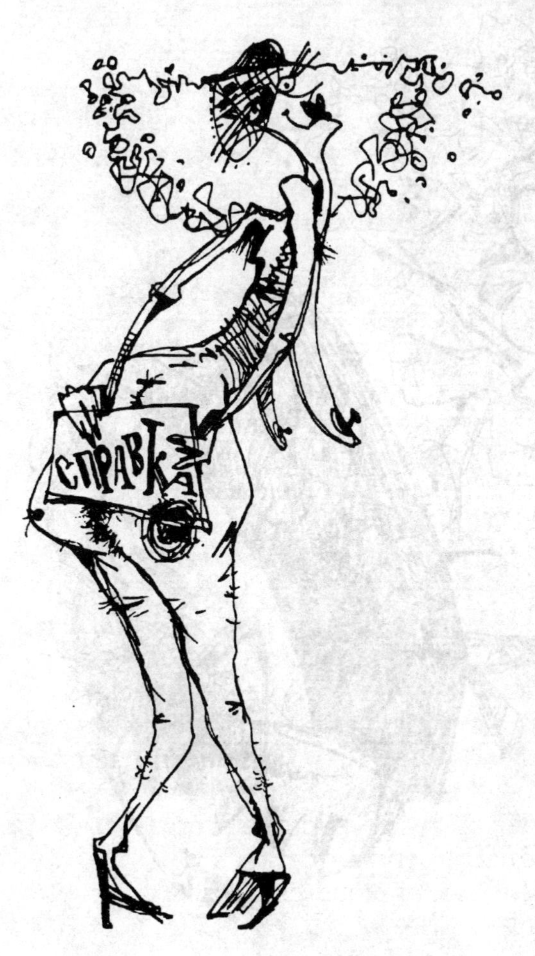

Нет ничего ошибочнее, чем представление о народе на основе анекдотов и мимолетного знакомства с его выпивкой и закуской. Чем больше выпивки и чем меньше закуски, тем ошибочнее представление.

Теперь представьте себе российского туриста, который в добрые советские времена посещал Эстонию, эту маленькую свою Швейцарию, и там не пил. Наше воображение утеряло границы в фантасмагориях последних лет, но представить себе такое все-таки отказывается. Тарова-

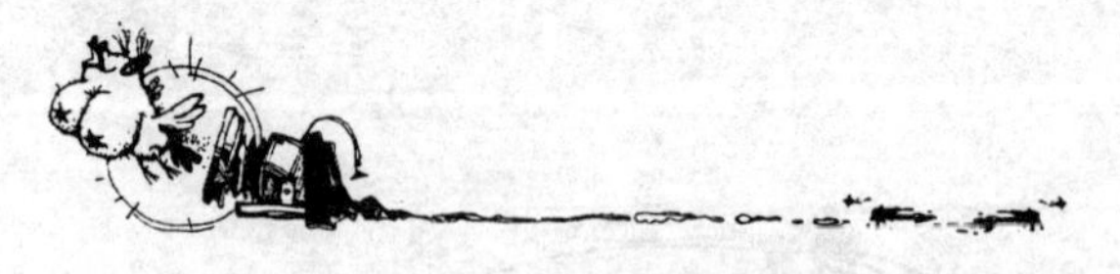

тый гость пересекал эстонскую границу, прозрачную до полной необнаружимости и условную, как число «пи», имея обдуманный план. План открывался питьем горячего глинтвейна в романтичной подземной трубе под названием «Каролина», развивался дегустацией фирменного сорокапятиградусного ликера «Вана Таллин» в варьете с запретным почти стриптизом, догружался приемом доброго пива и злой водки в сауне гостиницы «Виру» и достигал кульминации большим боевым разворотом в ресторане «Глория», славным вышколенной обслугой. И когда утомленный счастьем боец рушился мордой в салат, ледяную вежливость официантов он и расценивал последним проблеском сознания как вялость и унылость темперамента. Способность к сравнительному анализу покидала разгоряченный и остывающий мозг последней, и это сравнение было не в пользу эстонцев: дома в такой ситуации он успел бы увидеть каждым глазом сноп летящих звезд толще, чем на картине Героя Социалистического труда художницы Мухиной «Колхозная жатва».

Таким образом, темперамент регулярно путается с привычкой кричать, дергаться и по кратчайшей прямой стремиться к физическому контакту с партнером. Образцом темпераментного мужчины турист считает неаполитанца, случайно севшего на трансформатор высокого напряжения, не оставляя при этом попыток руками попасть в карман вышеупомянутого туриста. Заметим, что зимой тридцать девятого года этнические собратья эстонцев, финны, тоже не кричали «ура» или «банзай», предпочитая сидеть тихо и стрелять молча, и результаты их сдержанного темперамента озадачили даже одного очень известного сына темпераментного грузинского народа, каковой сын и сам отличался замечательной выдержкой. В отличие от крикливых арабов и бешено жестикулирующих итальянцев, воевали финны исключительно. Это к тому, что пар у эстонцев есть, у них просто со свистком плохо.

Теперь делается понятнее, почему жена Георга Отса, отчаявшись в душевных качествах гинекологов, со слезами просила у проктолога справку, что ей

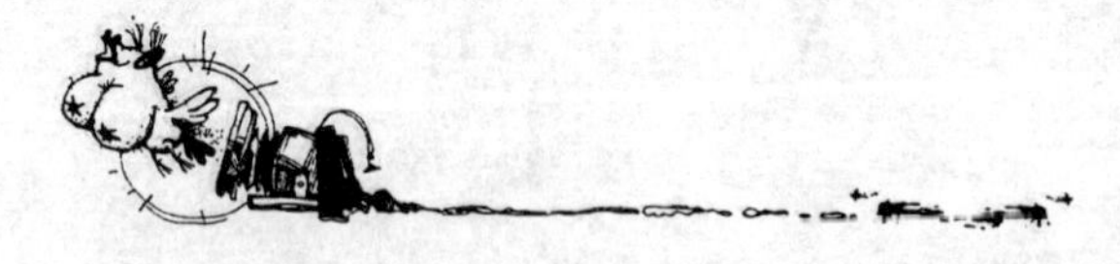

нельзя, как сегодня выражаются, иметь анальный секс. Вне оперной и эстрадной сцен великий певец издавал мало звуков. Сын работяг и сам работяга, он предпочитал действовать без лишних слов. Не боясь конкуренции, тут он предпочитал, чтобы звуки издавали другие. А поскольку талант всегда замешан на темпераменте, в таланте же его никто и не сомневался, есть все основания посочувствовать его жене. Отс был Народным артистом, избалованным потаканием властей, и никакая цидулька от районного лекаря не могла воспрепятствовать отправлению его эстетических потребностей. В конце концов, навязчивой идеей жены стало постричься в монахини.

Отчаявшись, она пыталась опередить свое время и увильнуть от исполнения законных обязанностей таким изощренным ходом, как формирование у мужа представления о престиже и высоком смысле нетрадиционной сексуальной ориентации в мировых кругах вокалистов. Она ударилась в педагогику. В доме замелькали мальчики. И однако выходные выпадали

ей гораздо реже, чем того требовала надорванная психика и прочие части тела. Зоркие глаза Отса неукоснительно замечали все, что шевелится.

Не заметить же Эви Киви было невозможно, а шевелилась она так, что по сравнению с ней газель выглядела газонокосилкой, страдающей болезнью Паркинсона. Она и сейчас еще ничего, а в девятнадцать лет при виде юной старлетки эстонские мужчины увеличивали паузы в разговоре с обычных трех минут до полного забвения предшествующей фразы. Там была золотая грива, эмалевые глаза, невинно-чувственный рот, точеная фигура и ноги непосредственно от бюста.

Короче, как там про лед и пламень, стекло и камень, в чего-то разверстую угль пылающий водвинул, швейная машинка с электрическим приводом, и вообще в это самое время на Балтике произошел ураган, срывающий с домов все, что с них можно было сорвать, сметая ограды и кидая телеграфные столбы; история достопамятная старожилам. Это была любовь, и это была страсть.

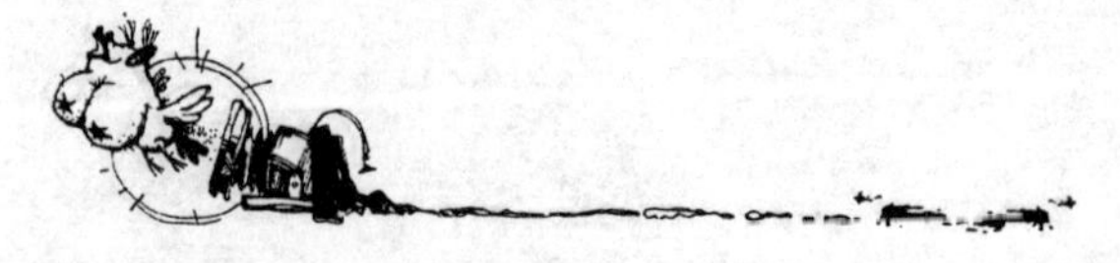

В один из кратких периодов, когда стрелка барометра мирно указывала затишье, влюбленная пара зашла позавтракать в кафе. Это известное кафе называлось тогда «Москва» и располагалось на площади Победы. Сейчас это, наоборот, площадь Свободы, просторное же кафе, придавленное «Таллинн Банком», сократилось до размеров кукиша с умышленным названием, которое невозможно запомнить не эстонцу в третьем поколении.

Это было необыкновенное по изыску и бесприютности кафе. Там пахло парижской белоэмиграцией, обнищавшей до уровня последней чашки кофе. Европейский сквознячок студил зал. Улыбки чистеньких официанток выглядели наклеенными без старания. Нагое электричество падало на черные деревянные столы, и стерильный воздух отдавал пустотой и самоубийством. И струнный квинтет пилил классику. Здесь работали немолодые и чинные музыканты филармонии. Они играли хорошо, но неким необъяснимым образом все ноты ввинчивались в пространство по отдельности, и казалось, что

каждая струна исполняет свои обязанности независимо от остальных. Эстонцы вообще большие индивидуалисты.

Серые туманные клочья ломились в стеклянную стену, и готические острия соборов неслись сквозь них. Утро было мокрым, хотя скорее мокрым был уже полдень.

И вот две звезды озарили своим светом и теплом эту хренотень. Шампанское вспенилось, кофе задымился, горячий шведский бутерброд зашкворчал, и млеющая официантка попросила автограф.

Через полчаса звезды отбыли, влекомые законами небесной механики по своей ослепительной орбите, и в пустом кафе остались на память скромным землянам запах дорогих духов, заграничных сигарет, королевские чаевые и грязная посуда. И млеющая официантка не сразу поняла, что мешает ей наводить порядок.

А мешало ей то, что на спинке стула висела черная сумочка крокодиловой кожи.

Умственно травмированная близостью к великим людям, официантка сообразила наконец, что к чему, вновь обретенная

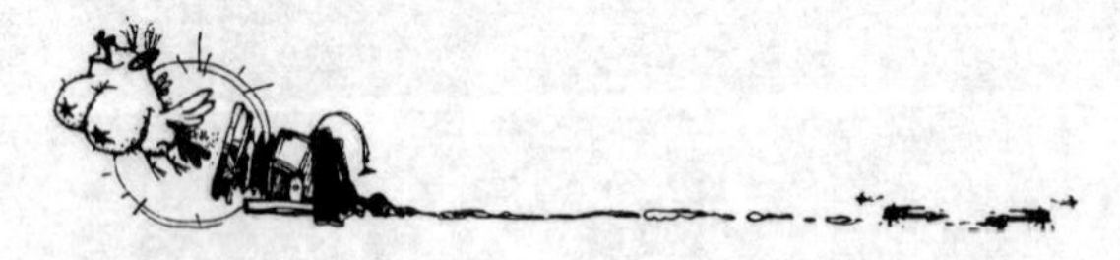

реальность открыла ей нехитрую связь вещей в природе, она схватила сумочку и бросилась к двери, ломая каблуки. Но посетители уже исчезли.

И вот тут официантка, душа наивная и восторженная, промашечку сделала. Ей бы сумочку гардеробщику сдать, и забыть про это. В обязанности гардеробщика входит хранить забытые посетителями вещи и возвращать их владельцам либо сдавать в бюро находок.

Она же пока оставила сумочку при себе. Пять минут она мечтала, как вручит ее лично забывчивой красавице и ее великому другу. На шестой минуте любопытство подпихнуло официантку на путь бессчетных жен Синей Бороды. Оправдывая себя тем, что вдруг это неизвестно чья сумочка, уточнить надо, она служебной походкой проследовала с предметом в туалет и щелкнула задвижкой.

Отсутствовала она столь долго, как если бы накануне поужинала веревкой. Когда же дверь неуверенно приоткрылась, оттуда боком, как мороженый краб, вывалилось странное существо. Ротик у

существа был круглый, глазки квадратные, и вообще геометрия лица искажена в стиле кубизма. Держа на вытянутых руках тикающую бомбу в крокодиловой коже, существо переместилось на кухню и рухнуло на поднос с посудой.

Судомойка сдержанно удивилась. Официантки собрались в круг. Запахло валерьянкой. Пострадавшую привели в чувство. Она помотала головой, уцепила под локоть подругу и потащила в угол. И что-то показала.

Работа кафе дала сбой. Запахло горелым. Клиенту вручили вдвое уменьшенный счет. Бармен на сто граммов коньяку налил вместо обычных девяноста трех сто два. Все находились под явным воздействием искусства, и воздействие было нестандартным и облагораживающим.

Сумочку сдали гардеробщику. И он приобщился к искусству последним. Среди мелкой женской дребедени лежала пачка фотографий. И там было на что посмотреть.

Это победа зрения над разумом. Это не просто любовь. Это гимн многообра-

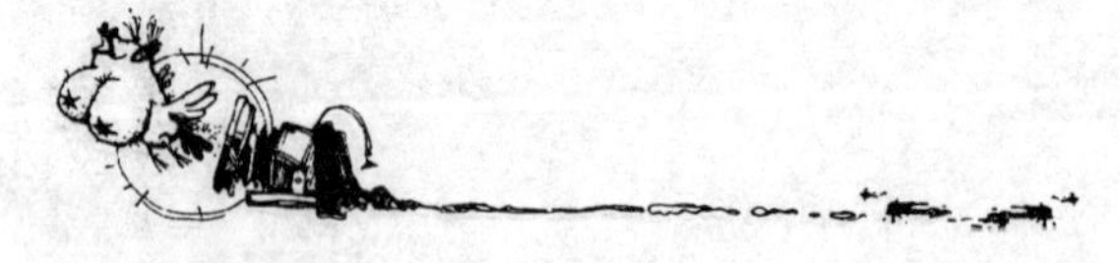

зию страсти и невообразимым ее возможностям. Это карта звездного неба от Рака до Водолея и география первородного греха от Франции до Индии. И гардеробщик выпадает из гардероба на руки заинтересованному швейцару.

Здесь уместно припомнить, что места швейцаров и гардеробщиков по неписаным правилам резервировались за отставными офицерами госбезопасности. Это было гуманно по отношению к ним и логично по отношению к прочим гражданам.

Коллеги провели летучее совещание.

— Хорошие чаевые,— сказал швейцар.

— Все уже знают, — возразил гардеробщик.

И судьба вредоносного искусства была таким образом решена. Изготовление порнографии каралось законом как подрыв государственной нравственности, которая расценивалась как важнейший устой государственной же безопасности. Для пущей, очевидно, безопасности коллеги срисовали на память пару особенно затейливых поз.

Когда через двадцать минут (оцените плотность событий) Эви Киви прибежа-

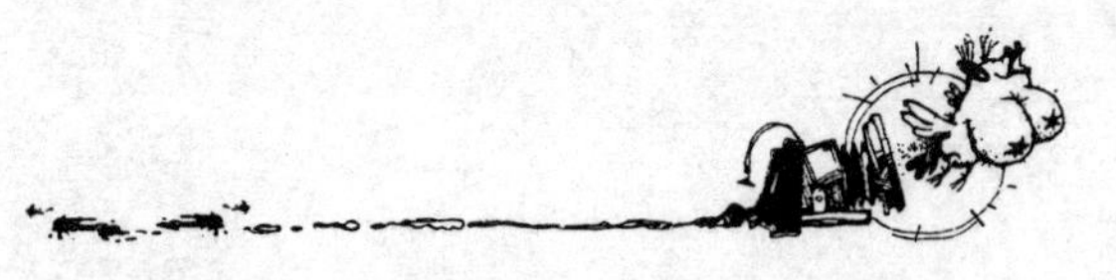

ла за сумочкой, фотографий там уже не было. Она посмотрела на гардеробщика. Гардеробщик с удовольствием посмотрел на нее. И занавес первого действия опустился.

После непродолжительного антракта началось действие второе.

На улице Пагари, этой ээсти Лубянке, снимки изучили с великим вниманием и интересом, даже разбирая мелкие детали через лупу. И однозначно пожелали познакомиться с натурой поближе. Их тоже можно понять.

В квартире Отса зазвонил телефон. Вежливейший голос выразил восхищение творческими успехами певца. И пригласил зайти поболтать по мелкому, но неотложному вопросу. Есть в центре один домишко, гостя с радостью ждут. В двенадцать вас не затруднит?

А дело щекотливое. Пахнет скандалом. Фигура всесоюзного значения. Шум раздувать нельзя. Но и о каких-то принятых мерах наверх сообщить необходимо. И принимает Отса лично начальник Пятого управления.

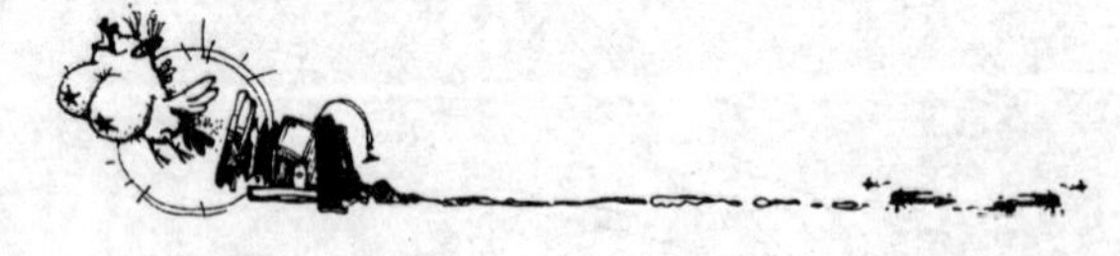

Приглашает его к столу и щедрым жестом показывает на разложенные фотографии:

— Это вы?

Георг Отс злобно закуривает и отвечает:

— Как это к вам попало?!

Начальник подвигает ему пепельницу и говорит:

— Вы бы ими еще все кафе оклеили! Я понимаю, что артисты любят всенародную популярность, но можно же быть разборчивее в средствах. Следующий шаг, простите, это только надписи и рисунки в общественных туалетах.

— Ну, это, кажется, не общественный туалет, — возражает Отс с некоторой обидой за свой будуар на фотографиях. — Что же касается моего средства, — и поглаживает изображение Эви на самом сногсшибательном снимке, — то не понимаю, между нами, мужчинами, чем оно вам может не нравиться?

— Короче: вы признаете, что на этих фотографиях изображены вы?

— А вы что, сами не видите?

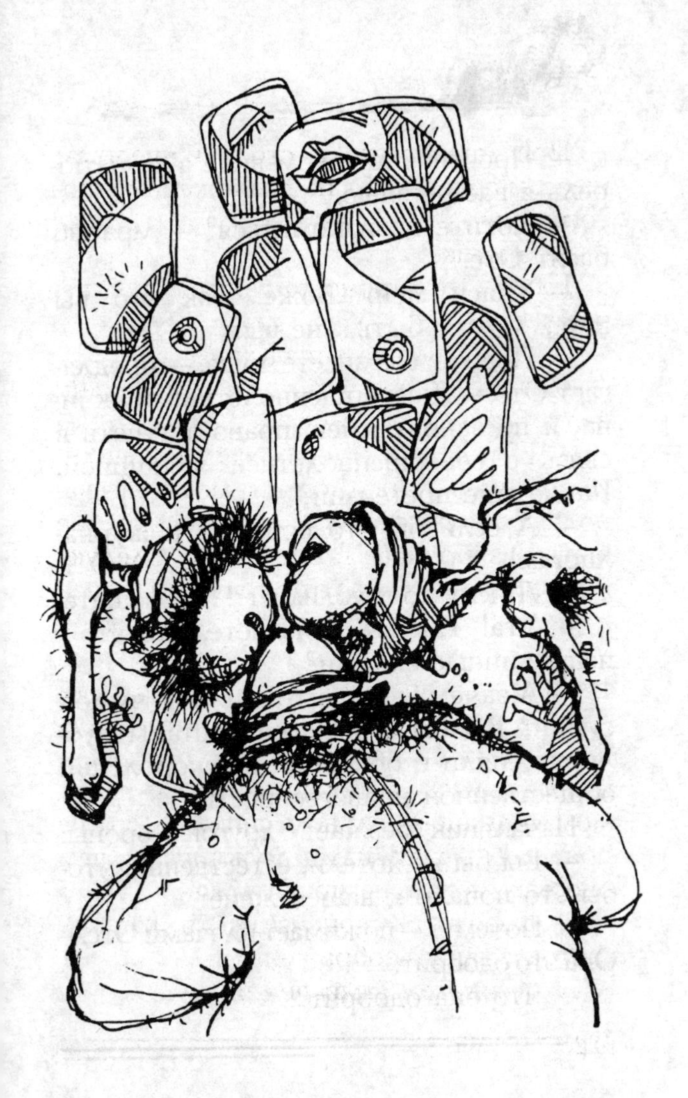

— Простите: в таком виде а'ля натюрель я вас не знаю.

— Хотите познакомиться? — мрачно басит Отс.

— Упаси меня Боже. Так это вы или... может быть... не вы?

— Подите вы знаете куда, — предлагает Отс. — Я совершеннолетний мужчина, и по закону имею право вступать в связь с совершеннолетней женщиной. Какие еще претензии?

— А если бы это попало... к журналистам!

— Да кто это опубликует?! Не смешите.

— Ага! Так вы признаете, что это... неприличные снимки?

— А зачем вы их вытащили из чужой сумки? Вы бы с меня еще штаны публично сняли и обвинили в оскорблении общественной нравственности.

Начальник заезжает с другой стороны:

— Вы бы не хотели, естественно, чтобы это попало к вашей жене?

— Почему? — пожимает плечами Отс.— Она это одобрит.

— Что она одобрит?!

— Не вмешивайтесь во взаимоотношения супругов, знаете...

Начальник дает перегазовку и заезжает с третьей стороны:

— Представьте, что это появилось в театре.

— Хм. Много вы понимаете в жизни театра.

— Но как вы такое могли?..

— Да пока еще могу,— не без удовольствия сообщает обвиняемый.

Такие парни свои права и возможности знают твердо. На них где сядешь, там и слезешь. Начальник слез.

Непосредственно вслед за чем влез на Эви Киви — хотя и не так, как ему мечталось бы, но лишь по долгу суровой и неблагодарной службы.

— Вам есть что терять,— пообещал он.— Вы понимаете, что можете вылететь с киностудии, из театра, и не найти себе работу даже в Магадане — если только работенку там не подберем вам мы?

Киви садится, поддернув юбку, ноги неимоверной длины и стройности закидывает одну на другую, грудь выпячива-

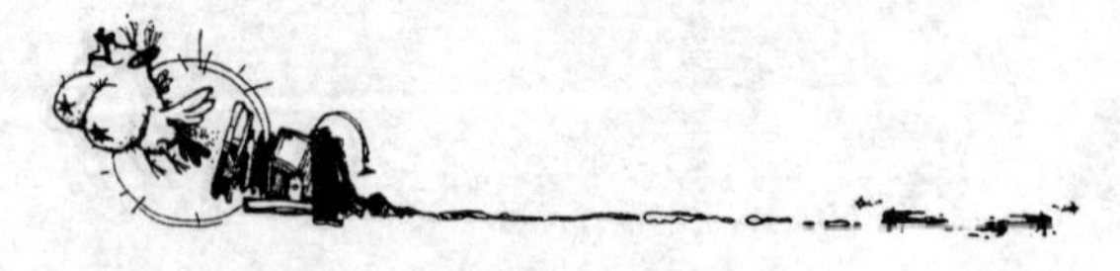

ет, золотую гривку взбивает и отвечает холодно:

— Я что, не имею права спать с мужчиной, которого люблю? Или он оказался американским шпионом? Почему вы лезете в мою постель?

— За участие в изготовлении порнографии в качестве натурщицы — до пяти лет строгого режима, — глушит начальник. — Вы не Отс. И ответите по всей строгости.

По молодости лет она тяжко задумывается. Здесь слезу не из таких выбивали. И несчастная оправдывается:

— Я не виновата. Я... не хотела. Я... почти не знала. Я... в изготовлении... не при чем!

— Да? Бедная... А это кто?! А это откуда?!

— Это?.. Просто... есть один знакомый... у Георга... художник...

— Это — художник? Это не художник! Это кто?! Это вы!!!

— Это фотограф... случайно... был в гостях. Мы выпили. И он... нам... на память... Сугубо интимно... просто.

– Просто?! Это не просто! Это десять лет!! Возьмите платок! Я верю, что вы не виноваты! Фамилию фотографа! Быстро! Если это не вы изготавливали фотографии, мы должны убедиться, что там нет целой подпольной фабрики!

Вот так Калью Суура, известного фотохудожника и призера разных международных выставок, выдернули прямо из ателье. Его сунули в машину, скатили в подвал, посадили под лампу и вчинили допрос с первой степенью психического воздействия. Как нетрудно заметить, чем ниже спускалось следствие, тем эффективнее применялись меры. Есть такой закон природы.

– Как?! Когда?! За сколько?! Подумай о детях!..

Мигает он под яркой лампой, режущей глаза, и открещивается:

– Вы знаете,– говорит,– я вообще-то почти не при чем. Я только кнопку нажимал. Я, понимаете, художник. Я все рассматриваю только как фотонатуру.

– Она что, вдруг сама к тебе в кадр влезла, эта фотонатура?!

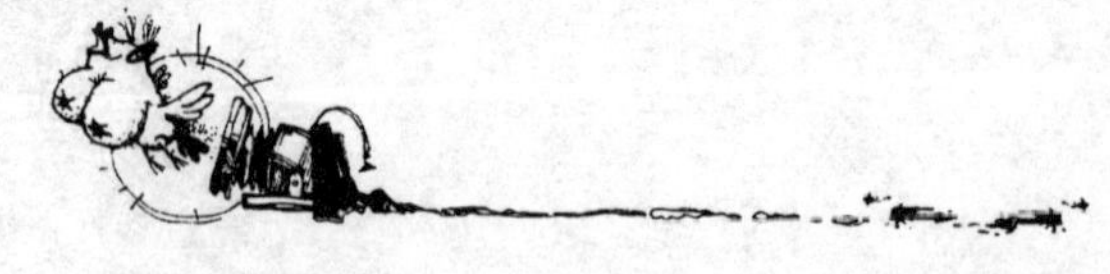

— Нет, она влезла в кадр не сама.

— Не сама все-таки... А кто ее туда впихнул?! Папа Римский?!

— Нет, Римский Папа ее туда не впихивал.

— Кто!!!

— У нас был художественный постановщик... он руководил, так сказать... замыслом.

— Ах, постановщик. И чем же он руководил? Ну!!!

— Он ставил композиции, добивался пластической выразительности поз.

— Наши поздравления. Позы выразительные. Что есть, то есть. И как же зовут этого великого хореографа? Рудольф Нуриев?

И бедолага-фотограф, страдая от своего предательства, сдает художественного руководителя. Просит закурить и выдавливает:

— Его зовут Эйно Баскин.

Баскин. Комитетчики переглядываются. Вот так. Где ни копни поглубже — вылезает когтистая лапа мирового сионизма.

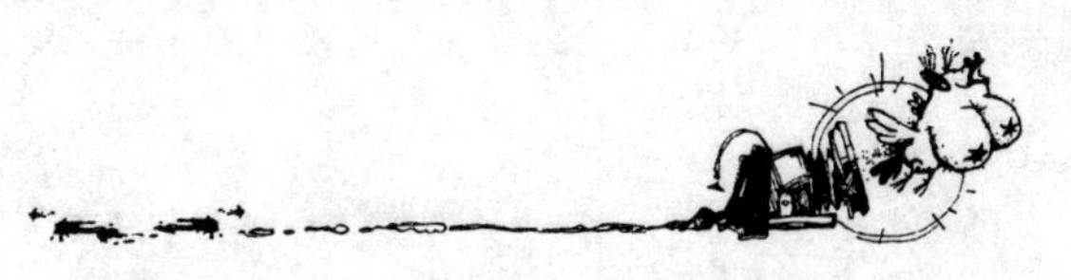

Баскин слыл тогда молодым талантливым режиссером и с трудом пробивался наверх – явствующая из фамилии принадлежность к проклятому сионизму сильно мешала. В тот злосчастный вечер они у Отса дома напились, и пришедшая в голову затея, не нося политического умысла, представилась развлечением изысканным и веселым.

– Так, – давят и колют Баскина. – Значит, это вы – организатор преступной группы?

– Какой группы?..

– Сознаваться будем?

– Конечно! Но в чем?..

– А вы сами не знаете?!

– Н-не знаю...

– Перестань валять дурака, Баскин! Облегчи душу, рассказывай! Суд учитывает чистосердечное раскаяние.

– Я готов рассказать, но объясните, в чем каяться?

– Тебе же хуже. Нам все известно. – И раскладывают перед ним фотографии, причем трех штук уже не хватает, делись куда-то.

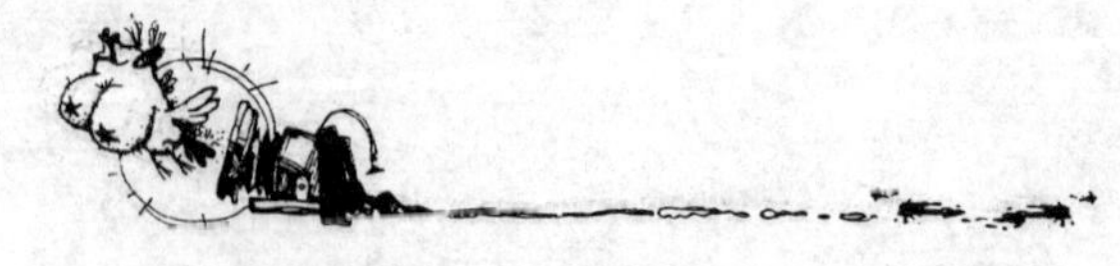

— Позвольте,— натурально изумляется Баскин,— и это все?!

— Тебе мало? Прокурор добавит. Вообще-то здесь, кажется, еще что-то было...

— Да вы шутите. Это искусство!

— Это — искусство?! — И комитетчики сказали много выразительных слов насчет того, чем они это считают.

Но эстетически эрудированный Баскин не давал сбить себя с защитной позиции.

— Искусство,— упорствовал он.— Есть целый отдельный жанр — эротическое искусство. Так и называется.

— Так и называется, вот как?!

— Это целое направление, течение, можно сказать, традиционное в мировом искусстве, начиная с Древнего Египта и Индии.

— Вы не в Древнем Египте, гражданин Баскин! И если вы такой знаток географии, то вам стоит подумать совсем о других местах.

— Да в Европе проводятся международные конференции по эротическому искусству. Люди защищают диссертации, написаны библиотеки литературы.

Какая же это порнография, упаси Боже! Да я бы никогда близко не подошел к этой мерзости! ужас! Рубенс! Тициан!..

Следователи озадачились. Из энциклопедии вычитали, что эротическое искусство в принципе существует. Но применительно к конкретной советской действительности – это проблема темная, обходилась неодобрительным молчанием.

И не в силах провести грань между эротикой и порнографией, решили провести экспертизу. Поскольку фотография – искусство изобразительное, следовало пригласить специалиста по изобразительному искусству. Не художника, а критика, аналитика, искусствоведа – специалиста, тек сказать, по этике и эстетике изображений. Выбор остановили на маститом авторитете – профессоре Бернштейне, преподававшем эстетику в Академии художеств Эстонии.

Своюроль сыграло и сочетание фамилий Баскин и Бернштейн. Оно придавало ситуации дополнительную веселую пикантность.

Звонят на кафедру, звонят домой:

— Здравствуйте. Это из Комитета Государственной Безопасности.

Очень приятно. Просто счастлив. Вот радость-то в доме.

— Профессор, вы занимаетесь порнографией?

Не понял. Откуда, что? Беспорочно служу тридцать лет советскому искусству! А что — был анонимный донос? Клевета!..

— А про эротическое искусство вам известно?

Что известно? Чье искусство? Ну, существует вообще такое, да. Но мы это не изучаем. Нам это в принципе чуждо. Хотя обнаженная натура в классической живописи, отчасти, постольку поскольку, традиции...

— Скажите: так вы можете отличить обнаженные натуры как эротическое искусство от обнаженных натур как порнографии?

Обнажайте — отличу. Разумеется. Это вытекает из моих профессиональных занятий.

— Тогда подъезжайте-ка к нам быстренько.

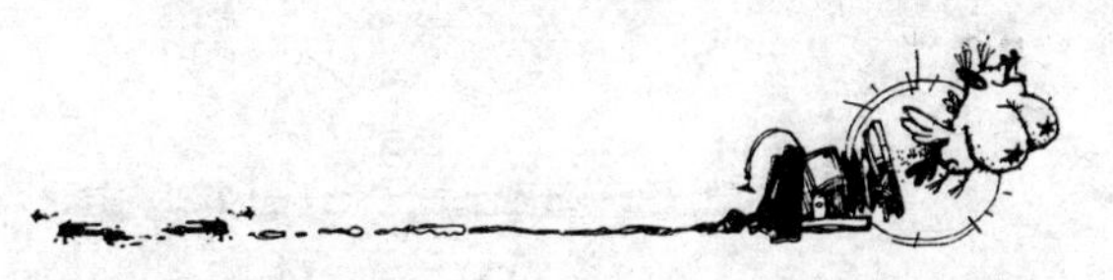

Бернштейну продемонстрировали предмет экспертизы и профессиональным жестом подставили под падающее тело стул. Придя в себя и отпив воды, профессор воззрился на фотографии с явным эстетическим испугом.

— Вы понимаете, а попало бы на Запад, это же порочит наш образ жизни,— поощрили его в нужном направлении.

— С другой стороны, это можно рассматривать как пропаганду нашего образа жизни,— с академической добросовестностью отметил несообразительный профессор. Мозги его скрипели, пытаясь найти правильную линию поведения. Убедившись в своей безопасности, он изучал снимки долго и с удовольствием. Он вертел их, кряхтел, сортировал и раскладывал на кучки. И в заключение эксперт вынес вердикт:

— Вот эти — пожалуй, могут быть квалифицированы как эротическое искусство. Но вот эти все-таки,— отодвинул к краю несколько совсем уж диких видов,— наверное, следует считать, увы... порнографией!.. Как ни верти, да...

Итог истории был таков: к Георгу Отсу никаких претензий не имели. К Эви Киви никаких санкций не применили. Фотограф отделался конфискацией архива и рекомендацией меньше налегать на обнаженную натуру, а больше на передовиков производства в рабочей спецодежде. Художественному же руководителю эротической съемочной группы Баскину результаты искусствоведческой экспертизы его доброго приятеля Бернштейна обошлись в четыре года лагеря общего режима. Что можно рассматривать как безоговорочное признание ведущей роли режиссера в процессе создания шоу-продукции.

И четыре года Отс пел, Киви играла, Суур снимал, Бернштейн преподавал, и все они жили половой жизнью, а Баскин валил лес и мечтал выйти и кастрировать натурщиков, а эксперта замочить. Но по освобождении друзья организовали ему театр и звание заслуженного режиссера. Очевидно, они тоже ценили его способности. И ему ничего не оставалось, кроме как смириться с тем, что судьба у каждого своя.

# ФУГА С ТЕННИСИСТОМ

Старый Хаим Бейдер когда-то был молодым Хаимом Бейдером. Что с того. Все были молодыми. И в давние довоенные времена жил он в украинском городке Каменец-Подольске. Тоже ничего удивительного. Там жило довольно много народа до войны, в том числе и евреев. Я там тоже жил. Но недолго. Я там только родился.

В отличие от меня, вообще бездельника, Хаим Бейдер там работал. Он редактировал газету «Каменец-Подольская правда». Тогда было много област-

ных и районных правд... но черт с ними, мы не об этом.

И в газете у него работал Лева Трепер (через «е», через «е», а не «и», и ударение на втором слоге). Он приехал в Союз из Французской Северной Африки, точнее – из Алжира. Он был из семьи евреев-коминтерновцев. Они были за мировой коммунизм и по зову сердца приехали всей семьей жить в Союз. Строить мировой коммунизм в одной отдельно взятой за задницу стране. У них были горячие, чистые, глупые сердца. Их приняли в Москве и дали приказ кому на Запад, кому в другую сторону. Лео направили в Каменец-Подольск в районную партийную газету. Он писал стихи на французском, а еще знал немецкий. Куда его сунуть? Интернациональным кадром укрепили русско-еврейско-украинскую редакцию. На всякий случай. Языки пригодятся. Дело шло к войне.

Бейдер покровительствовал Лео, учил газетной работе и приглашал на домашние обеды. Потом Лео отозвали в Москву, и он исчез.

Позднее выяснилось, что Лео пропустили через разведшколу и отправили во Францию. По легенде он был фабрикантом резиновых изделий. С секретных счетов ему спустили тысячу долларов на обзаведение. И он проявил гениальные коммерческие способности. Он заключал договора и налаживал связи от Бразилии, поставлявшей каучук-сырец, до Японии и Кореи, покупавших автомобильные покрышки. Он вошел в мировой профессиональный истеблишмент. В сорок четвертом году, когда союзники освободили Францию, крупный промышленник Леопольд Трепер поставлял Третьему Рейху чуть не три четверти автомобильных колес. При этом в каждой партнерской фирме у него был свой агент, гнавший информацию.

В сорок пятом Трепер продал дело, слил все деньги на указанные счета и вернулся в Москву. Из Москвы партия отправила его на Колыму. Естественно, беззубый, он вылез с Колымы в пятьдесят седьмом году. И был

поселен в Туле под чужой фамилией. Через десять лет он сумел выдраться во Францию. С жизненным опытом пришла возможность сравнений, он и свалил.

В семьдесят третьем в Париже вышли «Записки разведчика» легендарного Леопольда Трепера. Их перевели на все языки, кроме русского. Так Бейдер узнал о судьбе друга молодости. Сам он в это время жил в Москве и работал заместителем главного редактора советско-еврейского журнала на идиш «Советише Геймланд». Геймланд означало родина. Журнал символизировал расцвет еврейской культуры в СССР. Был дивным для разведки и контрразведки кустом международных связей. В Германии книга Трепера вышла на идиш, вот Бейдер и прочитал.

Но о Трепере мы упомянули между прочим, в связи с Бейдером. Везучесть Бейдера была аналогична Треперовской, но масштабом помельче. Миллионером он не был, зато и не сидел. Не был капиталистом в Париже, зато сей-

час спокойно живет в Нью-Йорке. Сын его живет в Иерусалиме, внук в Мюнхене, а я вообще в Таллинне, но я к этим историям вовсе никакого отношения не имею, просто уж заодно, к слову пришлось.

Бейдер был поэт. Он писал стихи. На идиш. За писание на идиш его и взяли в свое время в журнал. Разбавить беспартийным лириком партийную еврейскую когорту идеологического журнала. Черт с ним, с журналом, полное было дерьмо, мы о стихах. Говорят, стихи были хорошие.

Так вот, в первый раз молодой Бейдер подготовил первый свой сборник стихов еще в Каменец-Подольске. Книжка должна была выйти летом сорок первого года. Но вместо выхода стихов Бейдера произошло другое известное событие, и книга канула.

Бейдер умудрился уцелеть на войне. Но что касается стихов на идише, то было, естественно, не до них. И в следующий раз он собрался с духом издать сборник только в сорок девятом году.

Книга была уже набрана, но тут как раз началась кампания по борьбе с космополитизмом. Набор, естественно, рассыпали. Автор остался жив, и это можно рассматривать как большую творческую удачу.

Но происшедшее так на него подействовало, что он надолго вообще оставил поэзию. И в третий раз подготовил многострадальный сборник только в шестьдесят седьмом году. И он выходил из типографии в июне.

Как нетрудно догадаться, в июне вместо этого Израиль вмазал по Египту, и еврейские стихи в Союзе как-то резко перестали требоваться. Сигнальный тираж пошел под нож. Немолодой Бейдер задумался о судьбе еврейской поэзии и вообще об еврейской судьбе.

В результате сборник вышел с четвертой попытки, через сорок лет после первой. Но кураж был уже не тот.

В этом обескураженном состоянии старый поэт Бейдер пересекся с молодым режиссером Шерлингом. Мы ха-

рактеризуем Шерлинга по профессиональной принадлежности как режиссера, чтобы не характеризовать его по моральной принадлежности как засранца. Но о моральной принадлежности нового знакомца Бейдер ничего не знал. Он, как следует из биографии, вообще был удачлив.

Шерлинг был одним из первых советских евреев, кто из национальности сделал специальность, причем официально. Он создал еврейский камерный театр. Согласитесь, сочетание слов «еврейский» и «камерный» настраивает на юмористический лад. По камерам, господа, вы не в Биробиджане. Будущее подтвердило, что еврейский создатель камерного направления в советском цирке, в смысле театре, как в воду глядел.

Шерлинг решил сделать мюзикл. С мюзиклом удобно мечтать въехать на Бродвей и там остаться. Там много евреев. Некоторые в прошлом камерные.

И он обратился к известному еврейскому поэту Бейдеру с предложением

написать либретто. Мюзикл должен был называться «Белая уздечка для черной лошади». Возможно, наоборот. Не суть важно. В мюзикле проводилась та справедливая национальная мысль, что бедность подобает еврею, как черной лошади подобает белая уздечка. Мысль хорошая. Бейдеру, как бедному человеку, она была близка.

Бейдер написал либретто, и Шерлинг с сокамерниками стал разъезжать по городам и весям и средствами музыкально-танцевального искусства пропагандировать преимущества личного обогащения. От властей у него была индульгенция: «Особенности национального искусства». Некоторые считали, что он провокатор. Тех, кто по эстетической близорукости принимал идею спектакля за руководство к действию, со временем сажали. Так что генеральный замысел был верен. И еврейское искусство есть, и проворовавшихся евреев сажают, и все в одном флаконе.

Шерлинг на этом искусстве заработал. В отличие от Бейдера, которому он

ничего не заплатил. Он вообще предпочитал никому не платить. В конце концов, он придумал это все, чтоб получать самому, а не платить другим. На всех еврейских лошадей уздечек не напасешься.

Вообще-то мы и о Бейдере упомянули тоже между прочим, в связи с Шерлингом, которого он подсадил на орбиту. С высоты этой орбиты он Бейдера и ободрал, а вместо платы пытался укусить при разборке. Так как же не рассказать о человеке, который придумал либретто, которое и привело Шерлинга в Таллинн, где и произошла собственно история. К укусам невзнузданного и разнузданного режиссера мы еще вернемся.

В Таллинне «Уздечка» собрала шеститысячный республиканский зал. Собственно еврейское население Эстонии после войны и до массовой эмиграции достигало двух тысяч. Остальные были эстонцы. Они приветствовали все национальное, что не было русским. Шерлинг был расценен как угнетен-

ный и храбрый борец за права нацменьшинств. Овации. Плюс процент с кассового сбора и дележ сбора от неучтенных билетов. Шерлинг уже ездил в белой «Волге» и пил французский коньяк.

В этой «Волге» он катал дам и поил их этим коньяком. Он был вполне молод и более чем темпераментен. И даже кусался. Хотя это не главное, и совсем не за это они любили его.

Случился гастрольный роман у него и в Таллинне.

Собственно, только в связи с этим романом мы и упомянули Шерлинга. К самой истории он имеет косвенное отношение. И даже притянутое за уши. Но как притянутое!..

Теперь следовало бы рассказать о Николае Озерове, Славе Метревели и бедной, но славной истории советского тенниса – задолго до того, как в эту элитарную игру ударился играть престарелый президент страны, и присные с опричными верноподданно схватились за ракетки и сердца, а телевидение откры-

ло, что важнейшим из всех видов спорта для нас является теннис. Но это уже уведет нас чересчур далеко от главной темы. Все-таки это не роман, а только рассказ.

Но не упомянуть о Тоомасе Лейусе все-таки невозможно. Тоомас бывал чемпионом страны и почти призером европейских первенств. Он был гордостью советского тенниса. И уж тем более гордостью эстонского спорта. Вот маленькая же Эстония, а как ловко эстонец бьет по мячику через сетку! Заметьте, лучше любого русского, это тоже не последнее дело.

А платили спортсменам мало. Больше советских инженеров, но гораздо меньше американских безработных. А заграница растляет своим мишурным блеском. И бедные спортсмены, которые не знали про уздечку для бедной лошади, тоже подрабатывали как могли. Контрабандишкой промышляли, валюткой баловались, гонорары за зарубежные соревнования оборачивали как могли, чтоб урвать свой кусочек от девя-

ностосемипроцентного государственного налога, и кое-как устраивались.

Чемпион Союза по теннису Тоомас Лейус не был вовсе нищим пролетарием струнной ракетки. Кое-что у него было. По меркам простых совграждан он был просто буржуем, которому, значит, за его заслуги перед государством дозволено буржуйствовать. Квартира там большая в центре, вещи всякие хорошие, шубы и драгоценности у жены.

Вот из-за жены весь сыр-бор и произошел. У людей семейных вообще все обломы чаще всего происходят из-за жены.

Тем обиднее, что с женой Лейус не жил. Он вообще не хотел жениться. Ни на ней в частности, ни на какой другой. Ему было и так хорошо. В смысле ему было хорошо иначе. Он с детства ходил в секцию, играл в теннис с другими мальчиками, с подростками и со взрослыми дядями – а сам был такой светленький, стройненький, голубоглазый, щечки румяные: чем же он был виноват?.. У взрослых спортсменов характер

спортивный, мужской, волевой, свою волю, значит, партнеру навязывать привыкли; навязали. В первый раз и водка никому не нравится, а там охота идет, распробуют и поймут удовольствие. Опять же, мальчик от тебя не забеременеет, телеги в партком и спортком никто не скатит, карьеру никто не поломает. А власти к этим шалостям спортсменов и артистов всегда относились снисходительно. Была бы на высоте спортивная честь государства, ради нее можно и этим самым, ну, пожертвовать.

Лейус и женился из государственных спортивных соображений. Перед первыми зарубежными соревнованиями. Чтоб за границу спокойно выпускали. Дома должна оставаться семья в заложниках. Такой порядок, ничего страшного, все привыкли и воспринимали как должное.

Так что жена жила с мальчиками постарше, а муж с мальчиками помоложе, а выделенной ЦК квартиры хватало на всех, и все нормально.

Но со временем Лейусу это надоело. Жена вошла во вкус своего официаль-

ного положения и слишком дорого обходилась. Она разбила новую машину, она опять купила новую шубу, она шляется по кабакам и требует денег на расходы, и вообще стала слишком хорошо разбираться в драгоценностях. А он месяцами пропадает на сборах, света белого не видит из-за спортивного режима, постоянно рискует свободой, что ни говори, на таможнях, – и это на нее, получается, пашет? Обидно, согласитесь.

И он решил к черту развестись. Он всегда может взять себе жену гораздо дешевле. Нет проблем. Полстраны желающих на эту должность, да на таких-то условиях. Еще и стирать будет.

Однако характер у жены по мере роста благополучия сделался круче крутого яйца, и все попытки разговоров на эту тему она решительно пресекала. В качестве встречного иска она требовала от него исполнения супружеских обязанностей. Подлая была женщина.

Мириться с действительностью часто помогает алкоголь. И в один из моментов полного примирения с действительностью Toомас решил примириться заодно и лично с женой. И объявил ей об этом намерении.

Но она как раз оказалась тоже примиренной с действительностью, причем тем же самым способом. И будучи крепко примиренной, неправильно поняла его примиренность. Хрен с ним, с жадным педом, примиренно сказала она. Она согласна на развод. Но только при условии, что он компенсирует ей лучшие годы жизни, когда она бесплодно страдала, пока он играл в свою поганую игру. Она имеет право на долю совместно нажитого имущества.

Разговор принял неожиданный оборот. Спортсмен был уязвлен такой подрезкой мяча. Сначала он хотел въехать ей в глаз, потом обрадовался, потом углубился в расчеты, потом задумался. Потом вдохновился благородством и ответил, что все ее вещи останутся ей, а квартиру они разменяют.

А мебель? – Поделят.

А деньги на сберкнижках? – Какие деньги? Она что, роется в его вещах? Грязная свинья! Да ее дешевле вообще убить за сто рублей!

Оценка ее жизни в сто рублей привела жену в бешенство, и она уменьшила стоимость совместно нажитого имущества как раз на упомянутые сто рублей, расколов о голову мужа хрустальный кубок, врученный ему за одну из побед. Осознав, что деньги как бы потрачены, а результата никакого, кроме головной боли, муж в свою очередь озверел. А колотуха с правой с замахом из-за головы у теннисистов поставлена на зависть купцу Калашникову. Через пять минут жена выбралась из-под стола кротким сговорчивым созданием. До нее дошло, как Лейус зарабатывал свои медали.

– По суду я получу половину.– сказала она.– А так согласна на треть.

– Наливай,– отозвался благодетель.– Ты получишь треть, а сейчас выметайся.

– И треть камушков,– уточнила она.

— Каких камушков?..

— Брюликов.

— Каких брюликов?

— Которые в коробочке.

— Какой коробочке?

Жена бросилась в спальню и нырнула под кровать, отдирая от матраса лейкопластырь. Лейус за ноги выволок ее из-под кровати, и бриллианты разлетелись по ковру.

— Идиотку нашел?! — вопила она, брыкаясь и зажимая горсти. — Грошами отделаться?! Что думаешь, я ничего не знаю!

— Этого ты не наживала! Ты вообще ничего не наживала, кроме триппера!

— Я посмотрю, что ты в тюрьме наживешь! Не дашь?

— Не дам!

— Дашь!

— Не дам!

— Все. Кончилось мое терпение. Завтра сядешь. За махинации с валютой и драгоценностями. А ты что думал.

— Су-у-у-у-ка!!!

— Половина или ничего!

С ненавистью и ловко она брыкнула его туда, где теннисисты не носят бандаж, не хоккей, и схватка перешла в партер. Хрустело, хрипело, рычало и мяукало, и мартовский кот отозвался в унисон с соседней крыши.

Когда Лейус осознал, что кроме кота он никого не слышит, он встал. Он встал, посмотрел и сел. Голова жены была закинута набок, и по выражению лица, известному не только судмедэкспертам, было ясно, что все имущественные претензии сняты. Скверная была картина и жутковатая. И главное — неразрешимая.

Теннис — не шахматы. Бить было больше некого. Соображение отказало спортсмену. Судорожно пожимая плечами, он закрыл квартиру на два замка и побежал прятаться по друзьям, не посвящая их в подробности. Трое суток он пил и трясся. На четвертые сутки его взяли прямо у друзей же.

Дело было ясней колорадского жука, навредившего колхозной картошке. Признание и раскаяние последовали сразу.

На лице и руках заживали царапины от женских ногтей. На женской шее отпечатались десять пальцев соответствующей длины. И бриллианты валялись по спальне.

Припахивало вышкой. Статьи отлично складывались. Валюта, драгоценности, и убийство на корыстной почве с последующей попыткой скрыться от закона. Заряжай.

Вот сейчас настало самое время рассказать историю Симона Левина. Но это уже может быть расценено как явное нарушение принципа национального равенства и справедливости. Почему в истории о том, как эстонский мужчина сгоряча задушил свою эстонскую же жену, должно рассказываться о сплошных евреях, которые вообще безусловно повинны во многом, но к данному преступлению как раз не имеют непосредственного отношения? Вы чувствуете, как они всюду лезут? Поэтому мы ограничимся теми сведениями, что Симон Левин входил в так называемую «золотую десятку» советских адвокатов, ко-

торые славились вытягиванием самых безнадежных дел; ну, и гонорары брали соответствующие. Он жил в Таллинне и даже в те времена любил отдыхать в Швейцарии, где имел родственников. Друзья и спортивные покровители Лейуса позаботились о хорошем адвокате.

Квартира стояла опечатанной после обыска. Левин выхлопотал официальное разрешение на осмотр в целях возможного обнаружения вещдоков защиты. И непосредственно из прикроватной тумбочки жены достал ее дневник. Следователя дневник, стало быть, не заинтересовал. Потому его зарплата и отличалась от Левинских гонораров.

Дневнику жена поверяла, как принято, события своей жизни. События состояли из покупок, ресторанных вечеров и любви. Покупки были недешевые, а любовь не платонической. Отнюдь. С подробностями и оценками. Как именно, сколько именно, и насколько хорошо.

Левин ознакомил подзащитного с дневником и провел инструктаж. Непо-

средственно вслед за чем озаботился дактилоскопической экспертизой, чтоб пальчики Лейуса на дневнике фигурировали.

Настал день суда.

Лейус встает и заявляет отказ от своих прежних показаний. Интерес зала возрастает.

Левин просит приобщить к делу вещественное доказательство защиты. И предъявляет дневник. Суд заинтригован. Интерес зала накаляется.

Прокурор выдвигает обвинение. И начинается спектакль высокой юридической пробы.

Левин берется за Лейуса:

— Почему вы отказались от своих прежних показаний?

— Открылись новые обстоятельства.

— Какие?

— Был найден дневник моей жены.

— Вы были знакомы с ним раньше?

— Я случайно прочитал его в тот роковой день.

— Почему вы ничего не сообщили о нем следствию?

— Я не мог порочить честь моей жены.

Что? У зала вкупе с судом начинают открываться рты.

А Левин с искусством стеклодува и железной силой кузнеца гнет ту линию, что чистый и порывистый Лейус безмерно любил свою жену и вообще жил ради нее. Зал смеется. Все всё знают, Таллинн город маленький.

— Да разве может нелюбящий муж так заботиться о жене и тратить на нее все свои деньги?! — И Левин цитирует расходную часть дневника.

Смех стихает. Всем любопытно. Возражать трудно: м-да, содержал дай Бог каждой.

Он мирился с ее кабацкими загулами, он ей доверял. Цитируется ресторанный раздел. Впечатляет.

Он мечтал о детях, а она говорила, что нездорова. А вот справки от гинекологов об абортах. Вы понимаете?! Ага, поди опровергни.

Да, но убил-то почему?..

И тут идет раздел любовный. Мертвая тишина.

— Безмерная боль вспыхнула в оскорбленной душе моего подзащитного!..

А последним номером в дневнике идет уехавший из Эстонии накануне убийства Шерлинг! Его белая «Волга», его французский коньяк, его укусы, и повествуется о нем в восторженных тонах и даже не совсем приличных выражениях.

Линия ведется чище, чем алмазом! Ревность, оскорбленное достоинство, аффект, тяжкое душевное помрачение. Были бы присяжные — вообще бы оправдали!

Прокурор теряет дар речи. К такому обороту обвинение не готово. Логически — безупречно. Приволакивать в суд любовничков Лейуса? Откажутся, не прижмешь, защита приплатит и проинструктирует; а лампу ему никто не держал: нет у обвинения свидетелей и не будет. Святой Лейус, святой, и все всё знают — но доказать абсолютно невозможно.

— Что же он дневник не уничтожил, если так пекся об ее чести?!

Да вот акт психиатрической экспертизы, лабильная психика, он в тот момент вообще не соображал, его на улице друг из-под машины выхватил и к себе привел, пытаясь понять, в чем дело, и привести в чувство. Друга попрошу в зал для перекрестного допроса!

На лицах начинает появляться восторг. Работа аса.

– А бриллианты!!! – вопит прокурор. Бриллианты откуда, и что они значат?!

И победоносный Левин достает пачку бумажек. Не далее как две недели назад гнусный Шерлинг при попытке задержания укусил милиционера. Милиционеры не любят, когда их кусают без любви, и раскрутили его на полную катушку. Там и контрабанда, и драгоценности, и валюта, и у нас есть все основания полагать, что это он, чуя стягивающуюся петлю, решил использовать любовницу, жену Лейуса, для временного хранения своих нетрудовых доходов, и нет никаких оснований полагать здесь вину Лейуса – после того, как он отка-

зался от прежних показаний, и дело теперь абсолютно ясно.

Овация!

Восемь лет общего режима. По нижнему пределу.

А то, что на книжной полке у Шерлинга обнаружили среди прочего «Записки разведчика» Трепера с дарственной надписью, сделанной во время парижских гастролей театра,— к делу уже не относится.

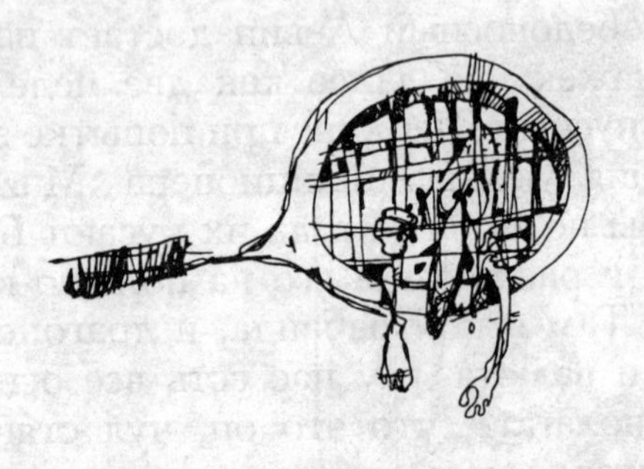

# ЛЕГЕНДА
# О ЛАЗАРЕ

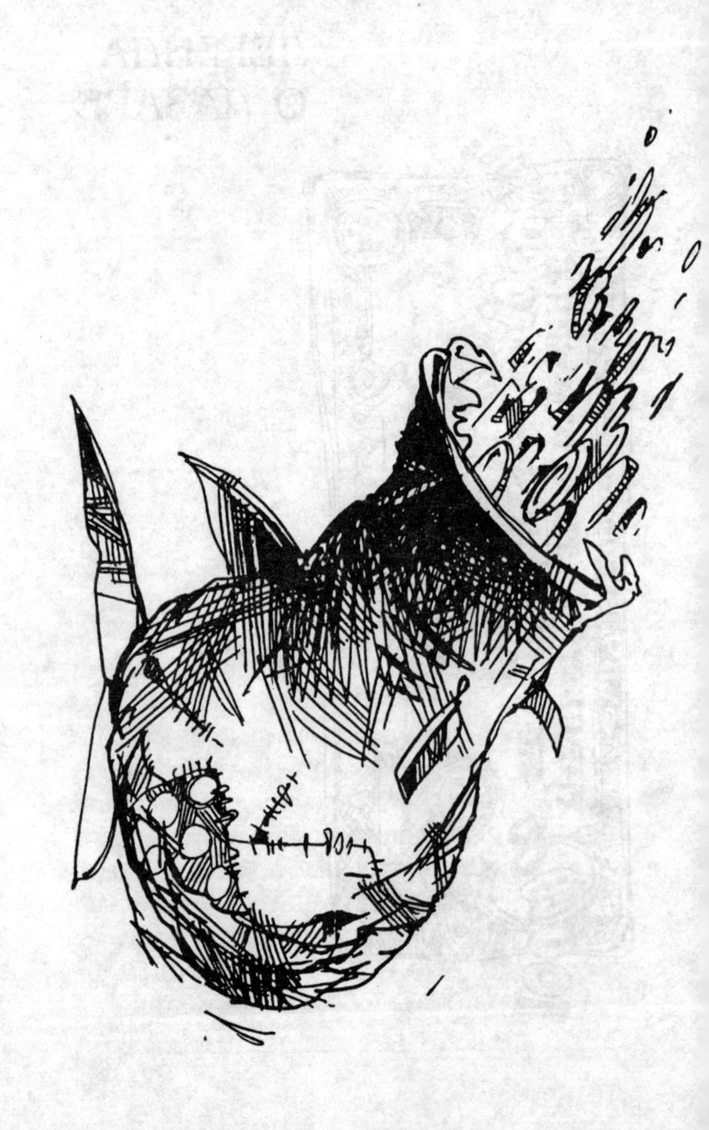

## I. ВУНДЕРКИНД

Его папа был довольно известный и даже процветающий пианист. Он не унаследовал от папы музыкальный слух; то есть слух у него был, тонкий и даже изощренный, но являл себя он только на звон денег, безошибочно различая и выделяя это сладкозвучие среди самой шумной какофонии социалистического строительства. Зато унаследовал Лазарь от папы то комбинаторское устройство всех способностей, которое и позволяет из семи всего-то нот октавы строить самые неожиданные и богатые мелодии.

В старинном романе написали бы что-нибудь вроде: он предпочитал играть на арфе жизни, наскучив никчемностью сольфеджио.

Пока маленький Лазарь пел лазаря иностранным туристам (никак не удержаться от дурацкого каламбура – остроумие Галёры само прорывает стиль), клянча жвачку и сигареты с вдохновением бизнесмена, опередившего свою эпоху, – папа пел ему педагогические поэмы под музыкальный посвист ремня. Таким образом ненависть сына к музыке, особенно фортепианной, которая в доме и звучала с утра до ночи, приобрела конкретный и обоснованный характер.

Это ерунда, что после слушания классической музыки хочется всех поймать и ну гладить по головке. Когда Люфтваффе исполнила Европе «Полет валькирий», это окончилось Нюрнбергским трибуналом. Мы не знаем, кого именно из великих композиторов предпочитал Каган-папа, но в семье этот вдохновенный музыкант был сущий зверь.

В пятнадцать лет, после особенно темпераментной сонаты по филейным частям, Каган-сын провел два дня в позе Симеона-столпника (сидеть было неудобно, музыка отзывалась во вспухших ягодицах), прожигая ненавидящим взглядом рояль в отцовском кабинете. И, пока папа давал концерты в филармонии, сын изучал вибрацию рояльных струн под молоточками, и злобно рисовал какие-то схемы.

Назавтра из его шкафа исчезли американские джинсы «Ли», а со стола – литовский магнитофон «Аидас» (не путать с «Адидасом») – атрибуты роскошной жизни центрового подростка. Они перешли в обладание корешу с соседнего двора, который также приобщался к музыке в качестве ученика на Ленинградской фабрике музыкальных инструментов имени наркома всех искусств Анатолия Васильевича Луначарского. В свою очередь, приятель через неделю вручил Лазарю фанерный ящичек, из которого торчал шнур с вилкой. Глаза приятеля восторженно блестели, и,

передавая это странное устройство, он тряс большим пальцем как знаком высокого качества советской – значит отличной – продукции.

Через десять минут у папы расстроился рояль. Звук плыл, аккорды сливались и фальшивили. Папа лупил по клавишам пальцами и кулаками, бегал вокруг инструмента и совал голову под крышку на манер гильотинируемого.

Лазарь с сочувственным лицом благонравно учил уроки.

Прискакал вызванный настройщик и, пожимая плечами, обнюхал благороднейший «Стейнвей» от кузова до ножек: звук был чист и безукоризнен, как эталон ноты «ля» в Парижской международной палате мер и весов. Папа дрожал бровями, божился и платил деньги.

Рояль звучал ровно полдня, после чего функционировать отказался: поплыл. Был вызван настройщик, и т. д. (см. выше).

После седьмого сеанса папа нахрюкался изрядно коньяку, пнул свихнув-

шийся инструмент в подбрюшье и вытер слезы. Через месяц мучений он продал дорогого его сердцу кормильца за полцены, чувствуя себя подлецом, сбывающим тухлый товар. Коллега-покупатель сиял и обнимался, и благодарил папу всю остальную жизнь. Папа же купил «Бехер», немало переплатив.

Здоровья «Бехера» хватило на два дня. Вслед за чем его постигла та же хвороба. Мама заметалась с валерьянкой и мокрым полотенцем: папа трясся на грани удара.

Вызванный настройщик засвидетельствовал дивное здоровье рояля, но тихо выразил маме сомнение в психическом здоровье папы, за что тут же и получил мокрым полотенцем по физиономии от мамы, за что тут же и получил бутылку армянского коньяка и двадцать пять рублей лишних от папы, и, полчаса принимая униженные извинения, укрепился в своих сомнениях, что не помешало ему выразить пожелание ходить сюда на таких условиях хоть каждый день. Хороший был настройщик, известный.

...Погубил Лазаря инженер-резонаторщик. Недаром этих резонаторщиков еще Воланд не любил. Инженер был главным в Ленинграде специалистом по штучным сольным электрогитарам и работал на той же фабрике им. многокультурного комиссара. Он пришел для консультации, послушал удивительный рояль, сделал всепонимающее лицо медицинского светила, закатил глазки и закивал головой. Достал свой приборчик акустической разведки и пошел вдоль стен, как сапер-миноискатель.

Особенно ему понравилась стена, отделявшая кабинет от комнаты Лазаря. Он склонил свою подвижную голову на один бочок, на другой, как ученый попугай, и попросился пройти туда.

Самонадеянный Лазарь, на свое несчастье, был как бы в школе – шлялся и фарцевал копейку в Гостином.

Инженер, под недоуменным присмотром папы с полотенцем на лбу и мамы с подносиком кофе и бутербродов в руках, обнюхал комнату и задумчиво посмотрел на фанерный ящичек, вклю-

ченный в розетку. Лицо его дрогнуло и приняло выражение, что называется, неизъяснимое. Ибо он узнал творение рук своих, сляпанное после работы за пятьдесят рублей из нехитрых казенных материалов. Это был такой электрорезонатор, при включении в сеть слегка искажающий частоту акустических колебаний в радиусе пяти метров.

Дальше вдохновенный папа терзал рояль, а инженер в другой комнате то включал свое вредительское творение в сеть, то выключал, заставляя звук «качаться».

Последствия были в духе педагога Макаренко, хватающегося за наган. Музыка была для папы святым. Сын явился вероотступником. Ему гарантировались кары, из которых аутодафе было бы удачным и счастливым выходом. Лазаря отправили трудиться на завод.

И не в какую-нибудь скобяную артель, а в огромный и передовой коллектив пролетарского всесоюзного маяка – завод им. Кирова Сергея Мироновича.

## II. ВОСПИТАНИЕ ТРЕЗВОСТИ

По мысли папы, этого пианиста-интеллигента, работа на заводе должна была оздоровить сына духовно и укрепить попутно физически. Занятый созидательным трудом вместе с простыми и морально чистыми рабочими, Лазарь должен был воспитаться настоящим человеком – трудолюбивым, честным и добрым, на собственной шкуре познавшим, что такое хорошо и что такое плохо.

Из этого прекрасного замысла можно сделать то верное заключение, что папа близко и глубоко знал жизнь рабочего класса, которому и принадлежало его искусство.

Кировский завод работал в основном на оборону. А где оборонка – там спирт. Все ли ясно? По технологии спиртом полагалось промывать все на свете, где требовалась чистота. Учитывая, что секретную эту технологию тоже не американцы составляли, а нормальные советские люди, они наличием спирта просто хотели приманить и закрепить са-

мых квалифицированных рабочих – если искать в этом логику.

Поэтому пили на Кировском заводе ужасно. Как и на любом другом нормальном заводе.

А спирт – это валюта. Бутылкой расплатишься за любую услугу. И чтоб он пропадал, зазря, на заводе, цистернами,– допустить это никто не мог, и Лазарь, влившись в коллектив, тоже не мог. Пили, сколько влезало, и крали, как могли. Охрана ловила. Лазарь же при вступлении в пролетарские ряды дал себе зарок – пойман он больше не будет никогда в жизни.

Редко случается, что зарок, данный себе в шестнадцать лет, человек выполняет всю жизнь. Русской литературе известны только два человека и только один случай – Герцен и Огарев. Лазаря можно считать третьим, ибо данное себе слово он сдержал. Могут возразить, что его деяния имели меньшее общественное звучание, чем подвиги двух великих революционеров. Не скажите. Еще неизвестно, кто нагляднее отображал своей судьбой зреющие в обществе преобразовательные

процессы – Герцен в своей Англии или Лазарь в родном Ленинграде. Что же до известности на Невском, тут Лазарь безусловно оставил издателя «Колокола» на три корпуса позади. О Герцене было доподлинно известно лишь то, что имени его – пединститут, где много теплых девочек для кувыркания и иностранных студентов для фарцовки.

Юный Лазарь выносил пол-литра спирта ежедневно. И ни разу – ни разу! – бдительные вахтеры, извлекающие на проходной спирт у трудящихся в бутылках и флягах, грелках и шлангах, с животов и спин, из рукавов и штанин, шапок и сапог, из подмышек и промежностей, – Лазаря не просекли.

Он выносил спирт в презервативе.

Презерватив был надет не туда, куда рекомендовало Управление санитарного просвещения. Он был полупроглочен и тянулся из пищевода в желудок, а верхняя часть находилась во рту, и резиновый ободок Лазарь зажимал зубами. Но это не должно служить поводом для подозрений в отходе от консервативного

гетеросексуализма. В пищевод внутрь презерватива вводилась трубочка, увенчанная воронкой, и туда тихо вливалось пол-литра спирта. Пузырь с добром оказывался в желудке. После этого оставалось идти, не выпучивая глаза, воздерживаясь от кашля, чихания и икания, и всю дорогу до проходной и далее до первого угла повторять себе басню про ворону и лисицу: разожмешь зубы – и пол-литра спирта разольется в желудке, а это крепковато не только для шестнадцатилетнего интеллигента.

Предварительная подготовка показала, что презер вмещает полтора литра, и только на двух начинает рваться под тяжестью. Четырехкратный запас прочности успокаивал. Недельная тренировка с водой дала навык.

За углом ждала знакомая девочка с бутылкой и воронкой. Спирт сливался, резиновый сосуд выкидывался. Эта эротическая символика настраивала пару на веселый лад.

Через месяц Лазарь споткнулся. В самом буквальном смысле – об какую-то

дрянь под ногами. Зубы клацнули, и товар проскочил внутрь.

Лазарь упал на четвереньки и сунул пальцы в глотку. Спиртовая струя ударила на асфальт. В сожженном горле дыхание остановилось. Таращась и хрипя, он дошаркал до пожарного гидранта и отвернул воду. С трудом проглоченная вода вылетела обратно, нутро выстрелило белым прозрачным снарядом.

Придя в себя, он понял, что буттлегер – не его призвание.

И с тех пор не пил ничего, крепче фруктового сока.

## III. УМЕЛЕЦ

Слух о происшествии разошелся, и в заводских стенах возникла его собственная, индивидуального пошива слава.

– Лазарь, – просила работница, – а не вытащишь мне бидончик? Нигде же не купить, исчезли!

– Рубль, – вежливо отзывался Лазарь. И окружающие задерживались у проходной посмотреть представление. Таким образом трудовой коллектив ощущал причастность к собственноручной продукции – испытывал законную классовую гордость не только создателя, но и владельца.

Он налил в бидончик ацетон и спокойно понес.

– А это что у тебя! – торжественно уличил вахтер.

– Да ну... ацетона каплю отлил... ремонт делаю, краску разбавить, – небрежно и просительно пояснял Лазарь.

– Что значит – отлил?! Ты что – с завода прешь!

– Да ну что... пол-литра ацетона нельзя?..

– Тебе что – акт составить и в милицию? Ишь... несун!

– Ну вы тоже!.. зверь... – бурчал в сердцах Лазарь и демонстративно выплескивал ацетон на землю. – Нельзя же так, честное слово, – огорченно вздыхал он вахтеру и проходил с пустым бидончиком.

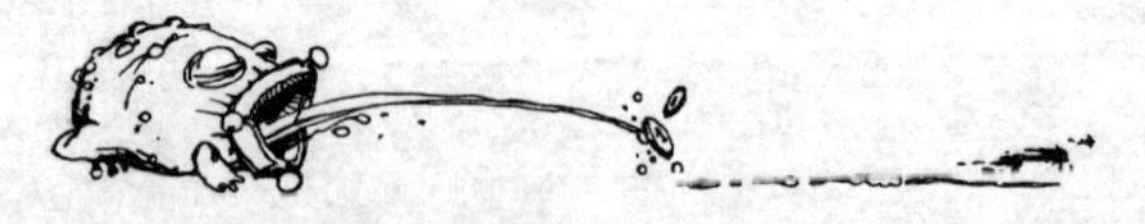

Болельщики диву давались; и радостно разносили по знакомым весть о победе разума над зрением. В курилке спорили: «А с ацетоном вынесет? или с краской, скажем? — Да нет, это бы не прошло!»

— Какого цвета? — скромно спрашивал Лазарь и наливал бидон краски. Надевал заляпанную малярную куртку, вооружался кисточкой и шел к подъездным рельсам. И начинал краской нумеровать шпалы: один, пять, десять, пятнадцать... Так, деловито согнувшись, доходил до охраняемых ворот и спокойно продолжал свое ответственное занятие: сто сорок пять, сто пятьдесят... Миновав границу территории, выбросил кисточку в бурьян и пошел вручать заказчику краску. Народ ржал в восторге.

А поскольку воровство на производстве было не самой последней проблемой, то слух о необыкновенном рационализаторе коснулся и ушей лично Генерального директора. Генерал заинтересовался и повелел секретарше этого уникума найти.

И скромный Лазарь, посетив предварительно для храбрости роскошный туалет директорского этажа – цветной кафель, зеркала и хвойное благоухание озонатора, – вступил на красно-зеленый пушистый ковер огромного кабинета в дубовых панелях.

– Садись, – с миролюбивого Олимпа прогромыхал Генерал. – Так что – говорят, вынести можешь что угодно?

– Врут люди, – открестился Лазарь.

– Ладно!.. Уговор – секрет. Ты не скромничай, я не милиция.

– Ну... могу.

– И что можешь?

– А что вас интересует?

Директор весело поразмыслил. Начальник охраны незаметно сидел в углу – мотал на ус консультацию специалиста. С оборонной техникой директор все-таки предпочел не связываться – осложнений потом не оберешься: негодность режима, вздрючить могут по самые гланды.

– Двигатель можешь?

– Хотите уж сразу трактор? – предложил Лазарь.

— Трактор?..

— К-701.

К-701 размером с дачу. Дыр в заборе таких нет.

— Прямо с площадки?

— Пожалуйста.

Директор усмехнулся начальнику охраны. Начальник охраны оценил Лазаря пронзительным глазом ворошиловского стрелка.

— Я вам с улицы из автомата позвоню... какой номер телефона? — спросил Лазарь.

В директоре ожил и запросился наружу особист. Он внес элемент острого своеобразия в эту невинную игру «укради сам».

— Попадешься — выгоню, — улыбчиво пообещал директор.

— А не попадусь?..

— А не попадешься — его выгоню! — захохотал директор в сторону начохраны.

Через час ребята у тарного цеха накидали по указанию Лазаря автоприцеп деревянного лома старой тары — как сырье для столярки.

На тракторной площадке Лазарь подошел к отгонщику:

– Слушай, перевези прицеп тары до столярки.

– Ты чо? Я на отгоне при конвейере.

– Ну перевези, будь другом, три минуты.

– Да ты кто вообще? На хрен мне.

– Ну срочно, слушай. Мастер велел. Ты что – отказываешься?

– Да в гробу я твоего мастера! Мне-то он кто? Я тут при чем?

– Так мне-то что теперь?..

– Да вали ты.

– Ну вон же стоит! Я бы сам, но у меня прав нет.

– Твои проблемы. Вези хоть сам, мне по хрену.

– Ну ты тоже... товарищ называется... – Лазарь оскорбленно влез в трактор, под насмешливым взглядом кое-как развернулся и поехал, провожаемый ехидными замечаниями.

Он подцепил прицеп, плеснул на трактор грязью из лужи, повозил мазутной тряпкой, уничтожая первозданную

чистоту, и затарахтел прямо к проходной.

– Чего у тебя?

– Да дровишек немного... на дачу просили подкинуть...

– Давай накладную.

– Понимаешь, такое дело... Чего там накладная. Ну давай – на бутылку с меня. Лады?

– Ты что имеешь в виду?..

– Да ну это ж тарный лом, он же вообще не учтенный, отходы! Я сам-то сговорился за пятнашку с доставкой, ну чо тебе – четыре рубля плохо?.. Ну по-людски?..

От такой открытой наглости охранник шизеет.

– Ах ты сопляк! Я т-те покажу «по-людски»! Да я здесь тридцать лет! стажа! в блокаду! я те дам дрова! покажу дачу!!

Лазарь машет руками – уговаривает. Вахтер хватается за телефон.

– Ой ну ладно, ладно... я же только спросил по-хорошему... ну нельзя так нельзя, так бы и сказал, чего орать-то... эх, жалко тебе, что ли.

Отпихнул прицеп с дровами в угол забора, зло плюнул, пнул колесо – поехал пустой.

Хороший вышел бы психолог... Грамотное переключение внимания на отвлекающий фактор.

А Генеральный оказался человеком нечестным. Потому что выгнал с работы все-таки, вопреки уговору, именно Лазаря. «Если пацаны таковы... они ж весь завод до камня разворуют!» А начальника охраны – оставил.

## IV. ПРОДАВЕЦ ВОЗДУХА

– И куда ты теперь денешься, лоботряс?

– Найду работу...

– Какую? Пустые бутылки собирать?

– А что...

Как в воду глядел. Рациональное зерно можно найти в любой фразе, любом предложении и событии. Мир за-

сеян рациональным зерном гуще, чем пшеницей. И сеять не надо, только жни.

Пустой грузовик въезжает во двор. Из кабины выходит интеллигентный молодой человек в белом халате и начинает звонить по квартирам:

— Здравствуйте. Санэпидстанция. Отдел атмосферных влияний. Составляем карту района. В вашем районе повышенная загазованность атмосферы, и сейчас мы берем пробы на соответствие санитарным нормам воздуха для дыхания в жилых помещениях. Будьте любезны — у вас бутылочки какие-нибудь в доме найдутся? Лучше с узким горлышком, но можно любые: наберите одну в спальне, а другую на кухне. Как? да просто пусть постоит минутку, и плотно заткните. Пробочки есть? Если нет — вот, возьмите. Из-под молока? Тогда возьмите эту крышечку. Винные? можно. И напишите, пожалуйста, ярлычок: адрес, дата и точное время. А прямо под пробочку заткните. И будьте любезны, снесите, пожалуйста, вниз,

если не трудно, мне со всего двора собрать надо.

И кратко поясняет о планах озеленения и запрета на грузовое движение.

Тронутый заботой властей жилец старательно затыкает пробками, которые вручил ему из своего саквояжа усталый санинспектор, две бутылки, как велено — в одной проба воздуха из спальни, в другой — из кухни. Пишет тщательно данные. И сносит вниз.

Там другой санитар укладывает бутылки в мешки с надписью: санэпидслужба. На кабине машины та же надпись.

Молодой человек благодарит жильцов. К мешкам привязывает этикетки: адрес, дата. И они уезжают трудиться дальше на благородном поприще очищения атмосферы.

А по дороге заруливают к пункту приема стеклотары. С заднего хода им выволакивают штабели ящиков. И они раскладывают по ящикам пустые бутылки, предварительно освобождая их от пробок с бумажками: пробки еще пригодятся.

Стоквартирный дом обрабатывался за час и давал двадцать рублей чистой прибыли: двести бутылок минус кое-что приемщице за оптовое обслуживание вне очереди. До стольника в день! Бешеные были деньги. Кто-то за них и месяц работал.

## V. МЫ ВАС ОБОГРЕЕМ

На рубеже шестидесятых старые дома петербургского центра переводились на центральное отопление. Тогда и началось постоянное перекапывание улиц, которое не прекратилось уже никогда.

Били стены, вели трубы, навешивали батареи; за отдельную мзду довинчивали лишние секции, свинчивая у тех, кто не платил. Становилось сухо в квартирах, рассыхались, потрескивая в ночной тишине, старые паркеты. Уходил в прошлое привоз дров, только название осталось от Дровяной Гавани; дровяные подвалы приходили в запус-

тение, заваливались рухлядью и затапливались навечно; и начало мутировать племя неистребимых городских комаров, круглый год выводившее потомство в темных лужах под теплыми трубами и не поддающееся никаким методам борьбы.

Жильцы радовались грядущим удобствам и ревностно следили за подключением соседних домов: не обошли бы нас, не забыли.

Звонили в дверь приличные ребята в чистых спецовках, блокнот и карандаш в нагрудном кармашке: центральное отопление желаете? А в ванную горячую воду? Дело так: централь проходит по другой стороне улицы, вас подключают по плану на следующую пятилетку. Но вообще резерв материалов позволяет... можно план подкорректировать, нам тоже будет удобнее, потом здесь снова не рыть все и не долбить. Но это дополнительные расходы... понимаете? Если квартира желает сейчас подключаться, чтоб не ждать – а кто его знает, когда нас сюда снова направят? – надо

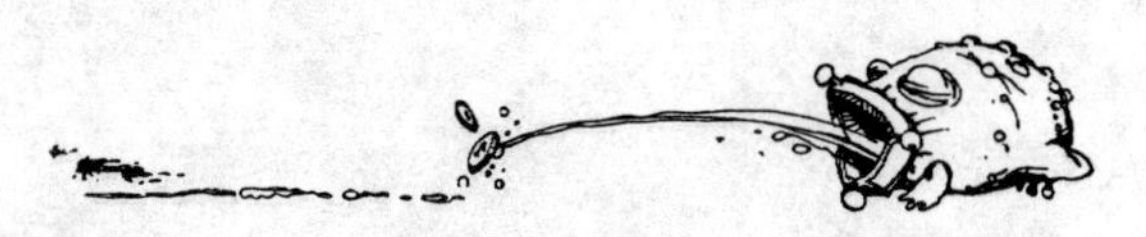

составить план и собрать деньги, если кому чего охота поставить дополнительно.

Жильцам все ясно. Есть неучтенные материалы. Работяги хотят подкалымить. Всем выгодно: можно договориться.

Работяги тычут пальцами – где будут стоять батареи и по сколько секций. Жильцы заискивают: а нельзя ли здесь добавить, а здесь сделать вот так? Можно, в общем, но это дополнительные расходы ведь. Подумайте, только быстро: второй и третий этаж уже согласились. Завтра утром мы заняты... после обеда можем зайти. Кто ответственный квартиросъемщик? пусть ждет дома, его подпись нужна.

Жильцы радуются разумной человечности работяг и собирают деньги. Деньги сдают, копию плана отопления квартиры получают.

Через месяцок вваливается бригада, буровит стены, втыкает отопление.

– А вот сюда еще, и здесь добавить?..

– По плану не положено.

– А вот у нас копия плана, все согласовано!

– С кем согласовано? Что за план?

– Так ваши же заходили.

– Не в курсе. Кто? Должность можете назвать? А фамилии хоть знаете?

У жильцов резко падает настроение. Начинают подозревать нехорошее. А бригада искренне знать ничего не знает, ведать не ведает; у них свой план, свой наряд. Дополнительно хотите? а где взять? это ж дополнительная работа, дополнительное время, нам за это не платят. И материалов нет... хотя достать, конечно, можно... но это все денег стоит, сами понимаете.

– Да мы же им уже платили!

– Кому платили? Вот с них и спрашивайте. Это мы не знаем, кто к вам, таким доверчивым, заходил.

Это была чистая работа, нехлопотная и беспроигрышная. Деньги собирались пачками.

И что гениально: жалоб не поступало! А кому и на что жаловаться? День-

ги дал сам? – Сам. – В конце концов тебе сделали что надо? – Сделали. – А ты знал, что это незаконно, не по плану, из левых материалов? – Ну... не задумывался... – А отдал много? – Ну, не много... (Псевдоработяги оперировали реальными расценками.) – Так на что ты жалуешься? Что два раза заплатил за одну и ту же незаконную работу? А ты уверен, что первые ребята не из того же стройуправления? Да ты их сам просил, сам склонял за взятку к расхищению государственной собственности!

И Лазарь пропахивал не один месяц пятимиллионный город, возжаждавший тепла цивилизации.

– На месте обкома я бы дал мне орден Трудового Красного Знамени, – говорил он вечером в «Астории», кушая зеленоватый черепаховый бульон. – Я демонстрирую людям внимательность городских властей к нуждам трудящихся. Я воспитываю в них чувство хозяев жизни, имеющих право требовать выполнения своих пожеланий за уплачен-

ные деньги. А сколько радости они испытывают от своей удачи и предприимчивости!

– А много ли у них, – вздыхал он философски, переходя к жюльену, – у бедолаг, радостей в жизни?..

## VI. ПОЧЕМ БЕРЕЗОВАЯ КАША

Был некогда в начале Невского знаменитый валютный магазин «Березка». В либеральные шестидесятые пускали туда не только иностранцев, но и своих граждан тоже, и не спрашивали у них страшноватые в своей безмерной власти стукачи в штатском, откуда валюта на ботинки или сигареты, и даже вообще без валюты, просто поглазеть на изобилие, тоже пускали свободно.

Направо от входа была ювелирная витрина. Золоченые запоночки с малахитом, за три доллара, лежали скромно сбоку. А в центре сверкали штучки иные, роскоши неподъемной, вроде

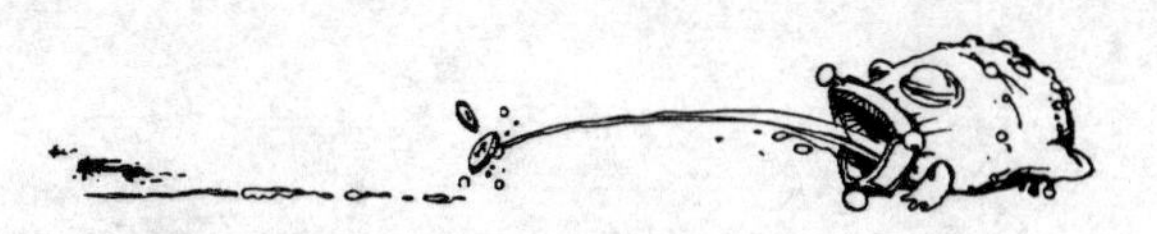

бриллиантовых перстней за шестнадцать тысяч зеленых или колье за тридцать две. И граждане собственными глазами убеждались сквозь броневое стекло, что бриллианты и колье существуют не только в исторических романах и кино, но и на самом деле.

И всегда чуть-чуть казалось, представлялось, что подойдет сейчас сзади, выдвинется весомо и нездешне, настоящий миллионер нереальной выхоленности, и высокомерным уолл-стритским выговором велит подать все это к осмотру — и заплатит в кассу толстую пачку долларов, которые одним уже своим видом дурны и порочны, материализуя собой зло и эксплуатацию чуждого империалистического мира...

И вот стоят и смотрят. И между ними проталкивается деловито занюханный мужичонка в брезентовом дождевике. Он оценивает витрину, надевает рукавицы, достает молоток — и резким ударом разбивает стекло!

Народ смотрит изумленно, еще не понимая, что это такое он видит. А мужи-

чонка распахивает портфель и, убрав несколько осколков покрупнее, спокойно сгребает все эти сияющие драгоценности.

Все в остолбенении выпучили глаза и раскрыли рты. Продавщица, как упав в холодную воду, ахает на вздохе, и крик застревает в перехваченной глотке. А мужик хозяйственно ссыпает добро.

Продавщица, наконец, взвывает в тональности застреленного зайца: «Ай-я-я-я-я-яй!..» К ней подскакивают две подруги и беспомощно верещат:

— Что вы делаете!!! Что вы делаете!!!

Что называется, фактор неожиданности. Все парализованы и нейтрализованы. Кое-как начинают осознавать действительность, в которой происходит что-то не то:

— Ничего себе!.. Елы-палы!

— Так это — что?..

Грабитель?! Как — прямо так?! Вот он, здесь, так запросто?! Что за дичь... А продавщицы пищат и прыгают:

— Милиция! Мужчины! Да держите же его! держите, вы что, не видите!!!

Мужика хватают храбро за руку, за шиворот, он сопит, отталкивает – остатки догребает. Ну – облепили, похватали, скрутили. Бывают же такие ненормальные грабители!.. Бред!

В магазине хапарай, гвалт поднимается, директриса выскакивает, продавщица в истерике бьется, доброхоты поздоровее мужику локти к затылку загибают. Вызывают милицию, закрывают двери, просят всех отойти от развороченной витрины.

Милиция, днем на Невском, прилетает молниеносно: случай неординарный, экстренный.

– Вызывали? В чем дело? Спокойно, граждане! Что, где, кто? Продавщица кто – вы? Успокойтесь, сейчас все нам расскажете. Кто разбил – этот? Сержант – наручники! Переписать адреса и данные свидетелей.

Мужичку – по загривку, по сусалам! к радости публики.

– Директор – вы? Когда кончаете рабочий день? Подъедете к нам, двадцать седьмое отделение. Продавщица

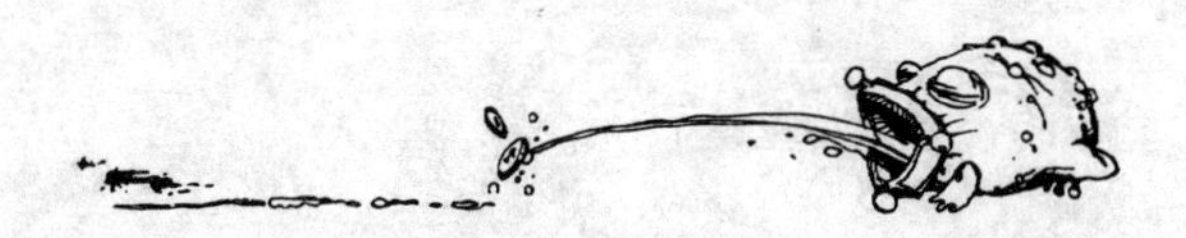

где? – и вы подъедете. Опись драгоценностей есть? Возьмете с собой, надо произвести сверку.

Преступника мордой вперед – в решетчатый задок пикапа, портфель – под пломбу и пристегивают наручником к запястью – вещдок, куча ценностей, глаз не спускать!

– Магазин закройте! Всем сотрудникам до конца дня составить подробные отчеты: что было за день, кто что видел со своего места. Постараться точнее, по минутам.

И с тем уезжают, лихо повязав горяченького преступника.

Через две минуты прибывает милиция:

– Вызывали? В чем дело? Спокойно, граждане! Что, где, кто? И т. д.

А? Что? Так уже!..

Кто – уже? Что – уже?

Ничего не знает милиция про своих предшественников и понять не может. Недоумевают, выясняют, звонят, и подозрения сгущаются до полного мрака в глазах.

Растворился преступник. И черт бы с ним, полбеды, но вещественные доказательства тоже растворились. Литейный звереет и перекрывает город. Через час брошенный «уазик» находят у метро «Площадь мира». Чей?! Был угнан от двадцать седьмого отделения, у Катькиного садика, за пять минут до ограбления.

Хронометраж операции вызвал зависть и бешенство органов. От вызова милиции до прибытия наряда прошло десять минут. В них и надо было уложиться.

Уложились прекрасно. Около полутораста тысяч долларов.

И только потом в милиции вспомнили, сопоставили. На предыдущей неделе несколько раз подряд били днем витрины в том же квартале. Приезжавшая милиция никого, разумеется, не заставала. Зато ее видели отлично. Так устанавливали время до прибытия.

...Нет, Лазарь не махал черным пистолетом под носом дрожащей кассирши, не крутил баранку визжавшей на вира-

жах машины в отрыве от погони, и не зашивал бриллианты в подкладку кальсон. Он в эти самые минуты чинно пил кофе на втором этаже «Аэрофлота», почти прямо над «Березкой», чему были свидетели. Он был не более чем независимый плановый отдел, самодостаточная хозрасчетная единица. И каждая комбинация составлялась только на один раз.

Кардинал лелеял свои коварные замыслы.

## VII. ШТАНЫ НА ВАШИ ГОЛОВЫ

Это глупости, будто на бриллиантах можно заработать больше, чем, скажем, на бутербродах. Смотря как поставить дело. Лучшее тому подтверждение – «Мак-Дональдс» богаче «Де Бирса».

Скажем, вошли когда-то в моду вязаные шапочки-«петушки». От бедности вошли – кроличьих не было, а норковые дороги. И стоила такая шапочка –

пустяки, двадцатку в среднем, скажем. И, как водилось, поначалу они долго были в страшном дефиците.

Зато шерстяные женские рейтузы можно было купить за пятнашку. Их настрочили столько, что уже не было ног и задов, на которые их предназначалось натягивать. Причем залеживались преимущественно размеры основательные, от пятидесятого и выше.

Такие рейтузы, стянутые зимним вечером с одной знакомой, Лазарь долго и задумчиво разглядывал в своей квартире на Рубинштейна.

– Ну что ты так долго? – позвала подруга, подняв с подушки взлохмаченную страстью голову.

– Есть мысль, – холодно отозвался Лазарь, и ножницами отрезал от рейтуз штанину под самый корень.

– Что ты делаешь?!

– Присматриваюсь, – ответил Лазарь и отрезал вторую штанину.

– А в чем я пойду по морозу?!

Лазарь натянул отрезанную штанину себе на голову, перехватил сверху рукой

на манер колпака, оценил в зеркале и ответил:

— В шапочке. — Снял штанину и разрезал пополам.

Из одной пары рейтуз для глупого зада выходило четыре шапочки для столь же глупых голов. Шапочки могли варьироваться любых размеров. У ягодиц — побольше, близ колен — поменьше. Пятнадцать рублей превращались в сто, а в особо обойденных модными товарами районах — в сто шестьдесят.

Лазарь потыкал пальцем в калькулятор:

— Одна баба, плюс одна иголка, одна катушка ниток, одна пара спиц... один день, пятнадцать рублей умножить на двадцать шапочек... о'кей, старуха! взамен получишь панталоны на гагачьем пуху!

Четыре агента на четырех подержанных «Москвичах» двинули в четыре стороны света — сбывать товар, получая себе двадцать процентов комиссионных. Вагон рейтуз был куплен через систему уцененных товаров. Сливки были сняты...

## VIII. МАГНАТ И СКУКА

...Когда мы познакомились в середине семидесятых, Лазарь был богатым человеком. У него было две трехкомнатных квартиры – на Рубинштейна и на Кировском. У него было две машины – «Волга» и «Жигули». Бабки, барахло и изрядный счет в каком-то европейском банке.

На него работал штат ребят. Они шлялись по северам и скупали иконы. Выменивали, торговали за бесценок.

Работали парами. Старший искал, торговал, потом сдавал товар Лазарю, отчитываясь в тратах и получая процент сверху в зависимости от ценности досок. Сам он – из безопасности промысла – иконы никогда не носил. Для этого был подручный, носильщик, нанимаемый за тысячу в месяц. Если их прихватывали и не удавалось откупиться – садился он. За время отсидки получал вдвое.

Иконы переправлялись на Запад, сдавались оптом, часть денег клалась в банк, на часть покупались последние диски и переправлялись в Союз. Здесь диски

продавались, в основном в Москве на Плешке, а на вырученные деньги заряжались охотники за иконами. И т. д. Такой конвейер.

В семьдесят пятом году я работал в Казанском соборе, который был тогда Музеем истории религии и атеизма. Однажды нас пригласили на таможню. Система Лазаря дала сбой. Мешок икон был задержан. Музейщики должны были их оценить. Менее ценные поступили в музей. Куда девались более ценные, мы не знали.

В начале восьмидесятых Лазаря все-таки посадили. Газеты выбросили заголовки: «Последняя песня Лазаря». С кем он не поделился, кто принял решение прекратить его бизнес, – похоронено в архивах. Понятно, что бизнес такого размаха не мог оставаться незамеченным соответствующими органами с самого начала. Штаты были огромны, провокаторов полно, в лапу при случае брали уже практически все.

Все это было уже не веселое мошенничество, не красивое жульничест-

во. Это была не официальная, но почти законная работа. По-своему тяжелая, громоздкая, нервная.

И Лазарь уже не был легок и весел. Он был богат, устал и скучен. Материально – в рамках вообще дозволенного в Союзе – он мог позволить себе все. Морально – он был никем. И в глазах его проблескивала черная меланхолия.

Надо полагать, сейчас бы он вполне преуспевал. Крутые ребята тех времен прошли жестокую школу, выжили в неслабых условиях, и доказали свою выживаемость. Но он давно и навсегда исчез с питерских горизонтов.

## ЭПИЛОГ

...Выслушивая многочисленные пожелания написать «Легенды Невского проспекта» новой эпохи, я долго пытался понять, почему сейчас это так неинтересно. Сколько кремневых характеров! сколько умопомрачительных коллизий!

какое богатство уголовной хроники и разнообразнейших происшествий!

И очень просто.

Картина имеет передний план, и имеет фон. Фон советской эпохи был сер, глух и ровен, как асфальт. Незаурядная личность и странная ситуация на этом фоне играли, захватывали, светились ярко и развлекали воображение. Каждая история – это был взлом фона, эпатаж действительности, протест, контраст; это была комедия издевки личности над системой и трагедия обреченности этой личности пред всемогуществом системы.

Суть настоящей истории – в победе мышки над кошкой. В смехе мышки над цепным псом закона и государства.

Что же ныне? Фон играет радугой и искрится бенгальским огнем. Возможно абсолютно все, и газеты наперебой гоняются за сенсациями. Любая, самая цветастая, история теряется на таком фоне. Сейчас контрастом будет уже ровная и спокойная история о счастливой любви; или о человеке, который предпо-

чел честный труд искушению головокружительной махинации; или о разбогатевшем жулике, который вспомнил о совести и раздал все деньги бедным.

Мы живем сегодня в простом и понятном мире, где безоговорочно правят открытая сила, жадность и жульничество. Афера и кража стали нормой жизни – от министра и прокурора страны. Бандитизм сделался почти официальной работой, и любые преступления, известные всем, проходят безнаказанно.

Никто больше не вспоминает о морали, честности и долге. Все признали, что быть проституткой лучше, чем ткачихой. Слово «продажность» исчезло из словаря, ибо само собой подразумевается, что каждый должен продаваться за сколько сумеет.

Преступник и представитель государства соединились в одном лице. Противостояние личности и закона исчезло. Личность обнялась с законом и пошла косить капусту. Мошенник рискует только тем, что его пристрелит другой мошенник.

Поэтому сегодня плохо с юмором. К любому происшествию можно приставить вопрос-ответ: «Да, это так, ну и что такого? Еще и не то делают. Это нормально, так все и устроено».

Вчерашние мышки стали кошками и жрут и крадут все, что могут. А сегодняшние мышки — мышки по жизни, а не официальному положению, и супротив кошек не могут ничего, даже не пытаются, на то они и мышки. Их робкие дерги вызывают жалость, а не смех.

Сегодня Давид не может победить Голиафа, потому что вакансии Голиафов открыты, и Давиды сами становятся Голиафами и дубасят всех по головам. Ситуация такова, что каждый без особого труда может занять то место, которого он стоит. Отсутствует напряжение, разрыв, между тем, что люди себе должны представлять — и тем, что есть на самом деле. А этот разрыв, это напряжение и есть почва и основа юмора.

Юмор — это нарушение привычного соотношения между должным и имею-

щимся. Если нет должного — нет и соотношения, нечего и нарушать. Убийство, афера, адюльтер, гомосексуализм, беспорядок — не имеют сегодня на себе никакой оценки, а лишь констатируются как данность.

В этом — главная причина неинтересности сегодняшней литературы. Любая история, рассказанная писателем, сегодня менее интересна, чем сливки газетной хроники. В жизни все есть и все дозволено, и крутейший материал обрушивается водопадом.

Никакая фантазия не в силах превзойти дикий идиотизм того, что мы наблюдаем нередко в жизни и о чем сегодня открыто говорит журналистика. Поэтому писать о сегодняшнем дне куда менее интересно, чем жить в сегодняшнем дне.

Писание же историй советской эпохи — это создание виртуальной реальности, под неожиданным углом отражающее виртуальную реальность самой этой эпохи.

Искусство становится искусством тогда, когда может противопоставить дей-

ствительности какое-то свое отношение, какую-то свою оценку, и через это показать читателю нечто, чего он раньше не видел, не задумывался, не понимал. Сегодня газеты и ТВ вываливают всю фактологию жизни, а что касается отношения, то все давно увидели: кто кого может, тот того и гложет. Поэтому сегодня плохо с искусством. Нет никакой твердой почвы, от которой оно может отталкиваться; искусству сегодня нечего противопоставить сегодняшней жизни.

...История Лазаря, скажем, была бы сегодня заурядной историей становления «нового русского». Это ново? интересно? смешно? Всех уже тошнит от жулья. От каждодневного абсурда.

Поэтому подождем немножко, пока все само устоится, ага.

# КРАСНАЯ РЕДАКТУРА

# КРАСНАЯ РЕДАКТУРА

## 1
## ПРОИСХОЖДЕНИЕ ВИДОВ

В семидесятилетний период советской власти в России имел место, среди прочих социальных феноменов, беспрецедентный в истории институт, уже само название которого – «красная редактура» – требует предварительной расшифровки.

Начинать ее следует с прилагательного. «Красный», в официальной термино-

логии, отнюдь не выполнял функцию определения цвета. Попытка объяснить, допустим, выражение «красная интеллигенция» (она же позднее «советская») гегемонией индейцев среди работников умственного труда при всей соблазнительности трактовки опровергается статистикой. Точно так же несостоятельным оказывается объяснение, связывающее «красный» с цветом лица, сопутствующим алкоголизму вследствие интеллектуальной невостребованности. Пьянство как явление в России всегда носило демократический и даже уравнительный характер, принципиально отрицая классовую дифференциацию. Истолкование же «красной» как указания на стыдливость и обостренную совесть интеллигенции в условиях коммунистической диктатуры не увязывается с многочисленными историческими примерами поразительной адаптации «красных интеллигентов» в обществе, которому они успешно способствовали своей деятельностью и за которое якобы призваны были краснеть. Остается рассмот-

реть лишь чисто физиологическую версию: «красный» как симптом гипертонии на почве стресса, вызванного психологическим дискомфортом; но продолжительность жизни интеллигенции, в среднем по стране более высокая, чем у рабочего класса и колхозного крестьянства, неопровержимо свидетельствует об относительном комфорте и достатке ее существования. Таким образом, остается решительно непонятным, что же имелось в виду под выражением «красная (советская) интеллигенция» — хотя ясно, что это была интеллигенция не просто, а какая-то, видимо, специфическая, должная иметь некое отношение к интеллигенции в традиционном смысле этого слова.

Суть в том, что термин «красный» в сочетании с управляемым им существительным (это обратное грамматическое управление есть одна из принципиальных лингвистических особенностей той эпохи) придавал словосочетанию совершенно новое значение, не имевшее ничего общего с каждым по отдельности

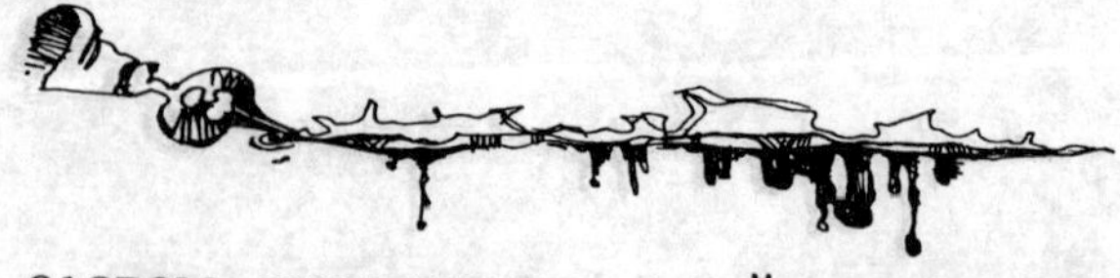

словом, входящим в устойчивую идиому. Так, скажем, «морская свинка» обозначает грызуна, не имеющего ничего общего ни с обитателями морских глубин, ни с подотрядом нежвачных семейства парнокопытных: поэтому бессмысленно содержать ее в аквариуме с морской водой или откармливать помоями для получения скороспелого и высококалорийного мяса и сала.

Аналогично и «красная профессура», созданная после высылки в начале двадцатых парохода с просто профессурой в Европу (каков масштаб! исчислять и перемещать профессуру пароходами!) — не должна была красить себя перед заседаниями кафедры киноварью или делать научные открытия. А «красный директор» с точки зрения характеристики по цвету чаще всего был черным, но объяснялось это, разумеется, не расовой принадлежностью или уподоблением в работе негру на плантации — а цветом формы военных матросов, которые успешно преобладали среди «красных директоров» посредст-

вом мата и маузера. Не следует воображать «красного директора» реальным руководителем производства – нет, руководил обычный специалист, в обязанности же «красного директора» вменялось расстрелять его при любых неполадках или получить награду в случае успехов. Поскольку награждаться можно многократно, расстрел же повторного наказания не подразумевает, то специалисты со временем кончились, и «красные директора» стали совмещать обязанности расстреливаться и награждаться.

Теперь уместно перейти к рассмотрению существительного и вспомнить, что термин «редактирование» восходит к латинскому «редактус», что означает «приведенный в порядок». Углубясь же в историю России до летописных истоков «Сказания о возникновении земли русской», в начале начал мы обнаруживаем широко известную и сакраментальную фразу «Земля у нас богатая, порядку только нет». Сформулировав проблему и осознав необходимость наведения по-

рядка, новгородские славяне пригласили для этого варяжскую дружину во главе с Рюриком. В изначальном значении слова именно он и явился первым русским редактором. (Забегая вперед и вбок, добавим, что вошедшее в обиход с 1933 года в III Рейхе выражение «новый порядок» есть фактический перевод древнеримского «отредактированный» — что естественно, учитывая декларируемые Гитлером преемственность и возрождение традиций и обычаев Рима, вплоть до партийного приветствия.)

Преимущества и прогрессивное значение редактирования не замедлили себя явить, и вскоре род Рюрика отредактировал и Киев, объединив вокруг себя славянские земли.

В числе выдающихся редакторов необходимо назвать Ивана IV и Петра I, значительно увеличивших объем и степень редактирования, а к XX веку отредактированная территория страны занимала уже одну шестую часть всей земной поверхности. Но тут в 1917 году

грянул октябрьский переворот, после редактирования превратившийся в Великую Октябрьскую Социалистическую Революцию.

Любой словарь скажет, что французское «revolution» означает «скачкообразный переход в иное качественное состояние». Иное состояние по сравнению с порядком есть хаос. В советской («красной») историографии период, наступивший непосредственно вслед за революцией, получил название «разруха». И действительно: перестали действовать железные дороги, разбежалась армия, рухнула финансовая система, исчезло продовольствие и т. д. Естественно, это не произошло само собой, но явилось совокупным результатом действий отдельных конкретных личностей.

Каждый, кто знаком с азами философии либо практического администрирования, прекрасно знает: парадокс объективных исторических законов заключается в том, что все люди по отдельности и вместе хотят одного, в результате же

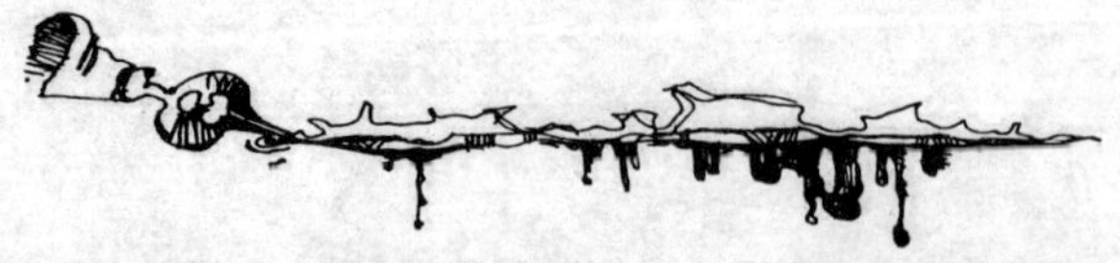

их действий в общем получается совсем другое – часто не только обратное их чаяниям и трудам, но и то, чего они себе вовсе помыслить не могли. И видя, что объективный результат не совпал с их субъективной целью, вчерашние революционеры последовали древней турецкой мудрости (за что Кемаль Ататюрк и получил от первого «красного правительства» две трети Армении с горой Арарат): «Главное – это дать происходящему нужное название, а там – хоть ковер из мечети выноси». И в оправдание происходящему оно было названо «красный порядок». Второе название диалектически уравновешивало первое и тем самым придавало смысл всем отдельным действиям: «разруха» подверглась редактированию.

Таким образом, красное редактирование оформилось в Советской («Красной») России уже в январе 1918 года, обретя вид и статус государственной структуры – Чрезвычайной Коллегии по редактированию контрреволюции и саботажа, ставшей широко известной

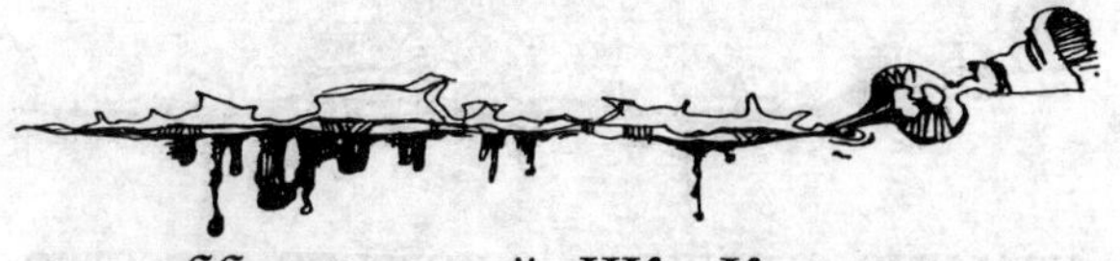

под аббревиатурой ЧК. Контрреволюцией и саботажем могла быть объявлена любая часть разрухи, а «красным редактированием» – любые действия, производимые властью и ведущие к этой самой «разрухе». Тем самым все происходящее упорядочивалось.

Первым Главным Редактором ЧК стал отнюдь не выпускник филологического факультета или полиграфического института, а малоуспешный гимназист и несостоявшийся ксендз, характеризуемый в протоколах ютивших его каталажек как бомж (лицо без определенного места жительства, занятий и легальных средств к существованию, т. е. антисоциальный элемент и мелкий жулик). Свой псевдоним – Феликс Дзержинский – он взял от названия тяжелого грузового паровоза ФД и первого советского фотоаппарата ФЭД, которым и делались отредактированные изображения паровоза, который летел вперед вплоть до полной остановки в коммуне, таща вагоны с отредактированным населением на ударные «красные» комму-

нальные стройки. Достоверно известно, что красный редактор Ф. Дзержинский был не индеец и не гипертоник, но напротив – поляк и астеник; формой же его одежды была шинель отнюдь не красного цвета (предположение напрашивается по аналогии с красными галифе братвы той эпохи или красными пиджаками братвы постсоветской), но символического серого цвета «маренго» – по названию классической редактуры, которую Наполеон блестяще произвел над вооруженными силами старорежимной Европы. «Все мы вышли из этой шинели», – справедливо заметил один из классиков редактуры: склонность к серому цвету стала сословной традицией. О важности поста и деятельности редактора в РСФСР (Редакционный Совет Фантастических Социалистических Республик) наглядно свидетельствовал один уже тот факт, что огромный памятник Дзержинскому все десятилетия Сов. власти высился в центре площади его имени перед небоскребом Клуба Героев Безошибочности, или про-

сто КГБ, как позднее стала официально именоваться Главная Редактура и где трудились руководство и элита несметной рати советских («красных») редакторов.

Днем и особенно ночью, не покладая рук и красных карандашей, клали они головы и животы своя на алтарь отечества. Алтарь отечества был двух разновидностей: письменный стол и стенка расстрельного подвала. «Красный карандаш» также не имел ничего общего с цветом кедровой палочки или графитового стержня внутри нее: это был семизарядный револьвер системы Нагана, а если работы было особенно много – пулемет Максима; то и другое поставлялось с западной гуманитарной помощью из Бельгии и США.

В первую голову в редактировании нуждался социальный состав населения. Архиважно было грубоватого и неграмотного пролетария отредактировать не просто до приемлемого уровня цивилизованного человека, но человека самого передового в мире. Необходимо было

убрать отрицательные моральные, умственные и физические качества: после работы красного карандаша над сырым материалом пролетарий лишался пороков и веры в Бога, обретал природную сметку и располагающее лицо, стригся, брился, при отсутствии носового платка не сморкался вообще, пил редко и не пьянея, носил чистое белье и мечтал отдать жизнь за светлое будущее, что ему так или иначе всегда удавалось. А не-пролетарий становился «эксплуататором» — то есть имел гнилые зубы, печать порочного уродства либо порочной же красоты на лице, совмещал образование с глупостью, был жаден, подл, эгоистичен, распутен и жесток: если он даже и не выглядел таковым с первого взгляда, таковой делалась его сущность, которую следовало выявить и заострить; после чего красный карандаш вычеркивал его с редактируемой страницы. Не будет преувеличением сказать, что красный редактор являлся селекционером, педагогом и имиджмейкером одновременно.

Работы было невпроворот, и на закрытых дверях учреждений и магазинов все чаще белела лаконичная табличка: «Редактирование». Фотовыставки мира обошла знаменитая фотография той эпохи: на заколоченных доской ветхих воротах – торопливое рукописное объявление: «Роддом закрыт. Все ушли на редактирование». Новое рождалось в муках.

Декрет о мире был отредактирован в многочисленные приказы Гражданской войны, Декрет о земле обрел отточенные формы Устава колхозов, божье проклятие поправили в «дело чести, доблести и геройства», из «цвета партии» в несколько умелых касаний сделали «врагов народа». Ряды редакторов ширились, и перегруженное ведомство принялось естественным и уже привычным образом редактировать собственные множащиеся филиалы: так появились «Ум, честь и совесть», «Коллективный пропагандист и коллективный агитатор», «Организатор и вдохновитель всех наших побед», «Общество

политкаторжан и ссыльных поселенцев» и многие другие, известные под аббревиатурами ЦК, ГПУ, ДОСААФ и сокращениями вроде Главлит, Литфонд, Совпис и т. д.

И лишь на втором десятилетии этой работы руки редакторов дошли до искусства...

Теперь, бросив общий обзорный взгляд на картину явления, мы можем лучше понять и ту его малую и специфическую часть, которая есть редактирование искусства.

Представим трудности тех лет. Классовая борьба обостряется. Функции Главного Редактора все чаще вынужден брать на себя Генеральный Секретарь Редакции. Постоянно редактируется политбюро партии, армейское руководство и службы безопасности. Что же в искусстве, которое принадлежит отредактированному народу?

Творческие люди, талантливые и образованные, почти поголовно – члены семей бывших эксплуататоров, т. е. потомственные эксплуататоры сами. И вот

они создают художественные произведения. И вроде бы там не к чему прицепиться, все в порядке: правильно, понятно и полезно. Да – но что под этим может крыться? Как русская матрешка, такое произведение может содержать в себе еще семь смысловых уровней, в том числе неприемлемых и враждебных. Как вскрыть? – а тезис о многозначности искусства был редакторам хорошо известен.

Можно пытать. Художник клянется! Но мировоззрение человека объективно выражается в его творчестве – даже помимо или против желания творца. А помимо и против желания – все эти пост-эксплуататоры не могли на уровне подсознания и инстинкта не стремиться жить лучше и еще лучше, т. е. к своему элитарному, эксплуататорскому положению, которого генетически, так сказать, вкусили.

Внешне это может быть неопределимо. Так невозможно сформулировать, в каких именно особенностях черт заключено обаяние какого-то лица. Но есть

это обаяние! Так же и в буржуе всегда есть буржуйство – тот комплекс черт, унаследованных от родителей, который при первой возможности делает человека эксплуататором. Ибо раскулаченный буржуй – это еще не пролетарий, так же как и богатый пролетарий – это еще не буржуй: все дело в складе натуры, в нервах и мозгах. Дай им волю – и пролетарий завтра опять будет пролетарствовать, а буржуй буржуйствовать. (Увы, что в конце концов и случилось.)

Так что истинно и насквозь пролетарское искусство может быть создано только пролетарием, чье мировоззрение, так сказать, обеспечено генетически. Но до генетического анализа наука еще не дошла. И следует заменять его социальным – ибо в социальном положении генетический тип личности вполне проявляется. Следует признать, что социальный критерий отбора художников был вполне обоснован. Скажи мне, кто твой родитель – и я скажу, о чем твое искусство.

И в искусство были призваны пролетарские ударники. Первоначально так назывались кузнецы, ковавшие ключи от квартир, где должны были лежать деньги: власти обещали отдельную квартиру каждому, и это виделось счастьем. О чем и пелось: «Мы кузнецы, и дух наш – молот, куем мы счастия ключи». Однако вскоре ключей оказалось больше, чем квартир, и освободившихся кузнецов, с учетом их пролетарской сущности, бросили на искусство.

Большая нужда была в оркестрах, игравших бравурные марши, и ударники пришли в музыку. Однако слух их, приобретший пролетарскую простоту вследствие кузнечной работы, оказался непреодолимым препятствием для создания музыки и игры на струнных и духовых инструментах. Нам не известен ни один ударник-скрипач или флейтист. Мучительно наблюдать нетрезвого дирижера, своей палочкой пытающегося нащупать си-бемоль после работы в клепальном цехе. Неповрежденным оказа-

лось лишь чувство ритма, и играть на барабанах и литаврах многие из них научились; с тех пор эти инструменты так и называются «ударными». Единственным достижением ударников-композиторов остается чудовищно нудная и примитивная мелодия «Интернационала» – настолько непригодная для исполнения, что звучала всегда только с фонограммы, исполнявшие же ее на всех собраниях пролетарии и редакторы только раскрывали рот, создавая видимость пения. (Впоследствии ряд ударников-музыкантов перешел в сферу рок-суб-культуры, перенеся туда традицию исполнения «под фанеру», как стала именоваться такая манера.)

От ударников в живописи остались сомнительные шедевры типа «Красного квадрата» (в действительности черного), «Купания красного коня» (мальчик кровавый на коне блед) и «Смерти красного комиссара» (ворон над пирамидой из черепов). Однако красный концептуализм просуществовал в советской живописи до 1937-го года, пока на Всесоюз-

ной выставке достижений народного хозяйства Главный редактор сельхозработ Никита Хрущев не пришел в ярость от картины Эрнста Заблудшего «Заклание красного борова», которую он принял сначала за зеркало, и снесенная бульдозерами выставка не вошла в историю живописи под названием «бульдозерная»; последовавшие в Союзе художников репрессии положили начало знаменитой кампании террора 37-го года, когда в первую очередь и целенаправленно уничтожались все боровы, хоть отдаленно напоминающие красных, с чего и пошел упадок в советском свиноводстве, — и, соответственно, все красные, хоть чем-то похожие на боровов, что имело непредусмотренным следствием опустошительный эффект в рядах ветеранов партии; уцелевшие ударники рисовали транспаранты, поддерживавшие это мероприятие.

Ударники в архитектуре пошли простейшим путем и взорвали храм Христа Спасителя. Но поскольку на его месте им не удалось возвести уже спроек-

тированное ударниками же самое высокое в мире полукилометровое здание Дворца Съездов, они пошли другим путем — в глубину, и вырыли самый большой в мире бассейн, назвав его «Москва». После этого столь же осторожный, сколь и мстительный Главный Редактор никогда не ночевал в Москве, укрываясь на загородные дачи, ударников же предписал использовать на взрывных работах при строительстве каналов и золотоносных карьеров Колымы.

И только в литературе дела сложились иначе. Здесь ударники полностью обязаны своим процветанием редакторам. Быть может, красный редактор не умел музицировать. Хотя однажды Главный редактор музыкального вещания Андрей Жданов поправил оперу Вано Мурадели «Сумбур вместо музыки», одним касанием клавиш превратив ее в «Дружбу народов», после чего учредил одноименный орден и наградил им ударника-композитора; однако эта опера больше никогда не исполнялась. Быть

может, красный редактор не умел рисовать, строить, сеять, пахать, шить брюки и лечить ангину. Но он умел читать, писать и стрелять.

Ударник-писатель же владел штыком, клинком, саперной лопаткой, обязательно — серпом и молотом, но с грамотой испытывал определенные сложности. Он обладал бесспорной пролетарской сущностью, но затруднялся выразить ее путем изящной словесности. «Перо» на его языке означало нож, «писать» — резать, «писка» — бритва (сохранились стихи ударника-поэта, оправдывающегося в уклонении от военной службы: «Я хочу, чтоб к штыку приравняли перо»). То, как владел ударник-писатель своим инструментарием в условиях тотальной постреволюционной резни, констатирует поговорка тех грозных лет: «Что написано пером, того не вырубишь и топором».

Есть древняя притча о морской пехоте — лягушка перевозит скорпиона: она не может разить, а он не умеет плавать, но вместе они составляют мобиль-

ную ударную силу. Таков был симбиоз редактора и писателя. Перо объединилось с красным карандашом, как уголь объединяется с селитрой, образуя порох.

Редактор как бы умел писать, но для этого ему требовалось начальное сырье. Ударник-писатель не умел писать, но писал, и созданное им «сырье» редактор переписывал. Прибегая к сравнению духовной пищи с телесной, можно сказать: один мог откусить любой кусок от чего угодно, но не умел разжевать, чтоб проглотить – второй же был способен разжевать в пюре хоть рельсы, но не умел сам найти и откусить; их симбиоз был предуготован всей культурной эволюцией. Нельзя не упомянуть и о читателе, который должен был глотать и переваривать. Картина художника Васнецова «Три богатыря» запечатлела этот триумвират: три конных культуртрегера перед рабочей сменой – один высматривает добычу, второй шевелит челюстями, третий обтянул мощный живот стальной кольчугой на случай вспучива-

ния. Победный дух композиции заставил бы содрогнуться Цезаря, Помпея и Красса.

Завершая краткий экскурс в предысторию вопроса обзором основных литературных источников, необходимо отметить статью академика Лысенко «Оса-наездник и овсюг», монографию профессора Эйхенбаума «Зоофилия и вопросы языкознания» и исчерпывающий труд Жака-Ива Кусто «Виды фауны Красного моря».

Утвердить
Роман
Для
Место печати

## 2
## НЕЧЕЛОВЕЧЕСКИЙ КРИК КОЗЫ

Редактирование начиналось с фамилий. Ударник мог быть неграмотен – ерунда, направим в вечернюю школу, в крайнем случае пусть самородок излагает устно, литсекретарь запишет, – но книга начинается с фамилии на обложке, и эта фамилия должна быть соответствующей. Ибо фами-

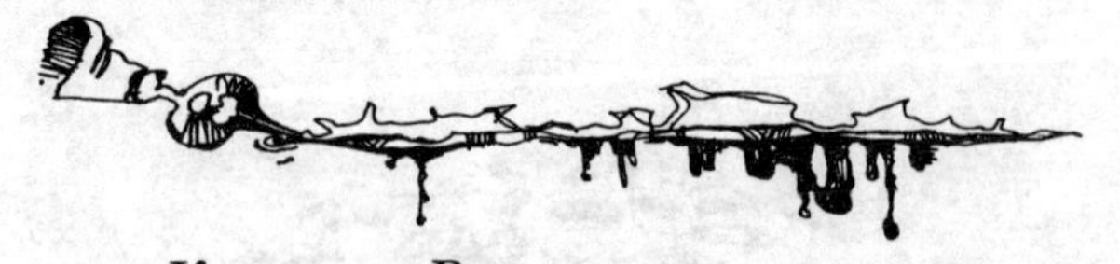

лия Карнович-Валуа уместна только в списке расстрелянных участников белогвардейского заговора, а Капран-Чемоданов – на разрешении эмигрировать в Берлин.

В сборнике «Смерть под псевдонимом» (Воениздат, Москва, 1957) перечисляется ряд фамилий видных советских писателей: Горький, Бедный, Голодный, Железный (так именуют однотипные и сведенные в бригаду эсминцы «Бодрый», «Бравый», «Бешеный» и т. д. – и сразу сущность явления ясна), Топоров, Пнин, Горнов, Барабанов, Крупин, Колбасьев, Уксусов, Петров-Водкин и Красный-Адмони (вы когда-нибудь слышали о Белом-Адмони или Голубом-Адмони?). Эти фамилии должны были задевать не одно, так другое чувство потенциального читателя-пролетария и настраивать его на заинтересованный лад. Выразительная фамилия – это уже литературное произведение и залог правильного отношения к последующему тексту.

Но это были цветочки райских садов, которые не грезились мрачноватому и

психически неуравновешенному Достоевскому, попрекающему нелюбимых героев невинными фамилиями Фердыщенко или Свидригайлов.

Если мы раскроем «Справочник Союза писателей СССР» последнего издания (1986) – ну, хоть на букве «г», то прочтем: Гай, Гей, Ген, Гин, Гиль, Гой, Глен, Гоба, Гох, Гоппе, Горбук, Грайбус, Гужва, Гура и Грюк... Что это?! – в легком обалдении вопросит читатель, и с нездоровым любопытством к чужому увечью перелистнет на соседнюю букву. А там его радостно встретят Даен, Далада, Дарда, Делба, Дрипе, Друщ, Дуда, Дузь, Дукса и Дюбайло. Разламываем посередине – и нам пишут инженеры человеческих душ Кава, Калган, Калда, Карапыш, Квин, Кезля, Кибец, Киле, Кладо, Клипель, Крещик, Крыга и замыкающий роты Куек. Да не бывает у людей таких фамилий! – брякнет читатель бестактно. Какая-то банда громил... список кличек окраинных хулиганов и обитателей тюремной камеры: Винт, Выхрущ, Брыль, Жур, Зись! В справочнике

восемьсот четырнадцать страниц, открывает его Абар и закрывает Ярец.

Разумеется, таких фамилий в природе не бывает. В них слышится высвист разбойника, гиканье конокрада и металлический хряск фомки. В стране были миллионы беспризорников и вчерашних бандитов – людей, к книге совершенно не приученных и относившихся к литературе с недоверием и насмешкой как к чему-то фальшивому и не имеющему никакого отношения к их реальной жизни. Но книга, написанная Выхрущем или Дуксой – своим, очевидно, братком! – затрагивала любопытство и возбуждала желание ознакомиться: да он, надо полагать, как я... ну чо, тля, может там фраер по делу чо написал... девушка, сколько платить в кассу? И вчерашний уголовник приобщался к позитивным ценностям через доступную ему литературу. Стиль и содержание сочинений, написанных Гужвой или Крещиком, вы легко можете себе представить.

Книги для добродушных хохлов, смирившихся вчерашних махновцев, писал

Нехай, а для отставленных от религии священнослужителей – Поп. Понятно, что книги, подписанные «Москаль» или «Безбожный», они бы в руки не взяли.

Трудность состояла еще и в том, что если пролетарский писатель часто не умел писать, то пролетарский читатель еще чаще не умел читать. И при отделениях Союза писателей были созданы бюро пропаганды литературы, которые организовывали встречи читателей с писателями – тем самым одни были избавлены от необходимости чтения, а другие должны были вслух и прилюдно читать то, что они сами же с редакторской помощью и написали: это было как минимум справедливо и создавало стимул к повышению литературного мастерства. И вот здесь уже от редактора зависело все! Вспомним: часто приходится – не живьем, так по телевизору – видеть писателя, известного как мудреца и стилиста, который в разговоре двух слов связать не может и мучительно мычит, как сын пьяного пастуха от недоеной коровы. Чем рождает недоумение

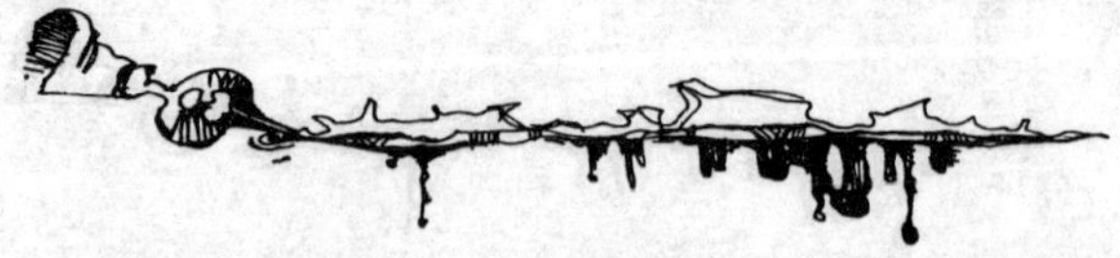

в зале: как же он пишет-то? Поясним: как мычит – вот так и пишет, откуда же другому взяться. А то, что попадает вам в руки и на глаза в виде его книг – плод работы неизвестного вам редактора над этим маститым мычанием. Нет ничего опаснее и пагубнее для пролетарского писателя, созданного на самом деле редактором, чем пытаться разорвать животворную пуповину и выставиться перед публикой самостоятельно и без написанного текста. Пока читает – ну, плохо читает, но написано хорошо. Как скажет без бумажки – чисто пациент травматологической палаты с похмелья после вчерашнего визита крановщика, накануне уронившего ему на голову бетонную плиту.

Приведем лишь несколько наиболее известных и характерных примеров красного редактирования.

Известный роман «Рог опера» ударника-классика Ивана Уксусова до редактуры (по сохранившимся воспоминаниям редакционного коллектива журнала «Красная новь») назывался «На ро-

гах» – и более всего напоминал антиутопию «Скотский хутор», как если бы написал его не Орвелл, причем находясь в указанном состоянии, а так и не превзошедший грамоты герой текста трудяга-Конь. Чего стоит одна фраза «Коза кричала человеческим голосом» – и это не в сказке, а романе о коррупции в животноводческом хозяйстве. После бережного и умелого редактирования фраза обрела необходимую выразительность и реалистичность: «Коза кричала нечеловеческим голосом». В таком виде она вошла в анналы как образец стиля ударников и уровня редактуры.

А роман Фурманова (до редактуры – Фурмана) «Чапаев» в первоначальном авторском варианте назывался «Чингизхан Айтматов» и был словно отколочен копытом того же коня, по продразверстке мобилизованного в красную кавалерию. Первая фраза звучала: «Я сел на коня и поехал в штаб». На второй странице значилось: «Цок!», на третьей: «Цок!», на четвертой: «Цок!», на пятой: «Цок!» – и так до четырехсот сороко-

вой: «Я приехал в штаб и слез с коня». Но искусство редактирования в том и заключается, что куда конь с копытом, туда и рак с клешней. Редактор издательства «Красный пахарь», сохранив экспрессию и объем романа, наполнил его лексико-семантическим содержанием, в результате чего советская литература пополнилась замечательной книгой о борьбе красного командира с черным вороном, которому Деникин как-то раз послал кусочек сыра, любви девушки из народа к непростому механизму пулемета, — все это давно вошло в золотой фонд, стало любимой легендой миллионов. Вдохновленный успехом и награжденный орденом автор, обретя в процессе работы над первой книгой ценный литературный опыт, приступил к созданию второго тома, более сложного и многопланового, который начинался многообещающей фразой: «Увидев меня, начштаба сказал», а со второй страницы пространство повествования крылось уже чеканным полисемантическим сочетанием из трех слов, именно которые повто-

ряет начштаба, явно простой человек из народа, в течение очевидно всего долгого совещания, происходящего в явно сложной боевой обстановке, – и только безвременная смерть автора оборвала этот несомненный шедевр на двести девятнадцатой странице. В отредактированном виде мы знаем его по первым пяти главам неоднократно экранизированного и переведенного на многие языки романа «Они сражались за Родину».

Не менее знаменита история о том, как лично Главный Редактор посоветовал даже такому мэтру, как Алексей Максимович Горький, учесть возросшую культуру пролетарских читателей и изменить просторечно-вульгарное название романа «Е... твою мать» в просто «Мат». Казус редактуры произошел оттого, что автор не понял особенностей дикции редактора и, полагая, что в точности следует указанию, вместо «Мат» переименовал свою книгу в «Мать», что, согласитесь, не вовсе одно и то же. Следствие такого отсутствия взаимопонимания между автором и редактором

было губительным и типичным: Горький был лишен редакторской помощи, надломился психически, ничего больше не написал, в стыде бредил бегством за границу на изолированный остров типа Капри (что делать пролетарскому писателю на Капри? явный маниакально-депрессивный психоз), стал пить, курить, вступил в связь со снохой и вскоре скончался от туберкулеза. И это при том, что посвященная им дорогому Главному Редактору поэма «Дедушка и смерть» официально была признана посильнее, чем «Фауст» Гете.

Но к издержкам прогресса при социализме следует отнести и то неоднозначное обстоятельство, что со временем отдельные писатели научились писать и, более того, отдельные читатели научились читать. И умение это превзошло лояльные чаянья редактуры.

Угрожаемая красным карандашом, литература опустилась в подтекст, как подводная лодка скрывает все тело под воду, выставив наверх лишь невинный глазок перископа: что там делается? у

нас все в порядке... о Господи! срочное погружение!

Писатель научился говорить читателю все, не говоря ничего, а читатель научился читать то, чего писатель и вовсе не писал. Литература развитого социализма явила и поныне не изученный образец высочайшего эзотерического искусства.

Редакторская работа уподобилась нырянию за жемчугом, который может скрываться в придонных раковинах – а может его там и не быть, кто его знает. В тихом омуте завелись черти, строящие редакторам носы и рожки. Писатель клал на стол патриотическую рукопись, и в каждой букве крылось по кукишу.

Несчастный и трудолюбивый редактор оказался вынужден профилактически пропалывать весь текст. «Дорожки» заменялись на «тропинки» и наоборот. «Крамер» превратился в «Ремарк», а «Живи с молнией» – в «Жизнь во мгле». Борьба с подтекстом превращала текст в перепаханное поле танковой битвы,

где в квадратно-гнездовом порядке сажались питательная картошка и политически выдержанная красная гвоздика. Процедура редактирования заставила бы де Сада и Захер-Мазоха обняться и зарыдать от зависти. Ломались пальцы, головы, хребты, характеры и судьбы. Под хруст пили водку и лечили инфаркты.

Если же коза кричала уж вовсе нечеловеческим голосом, государство затыкало ей рот. Затычку называли «Государственной премией». Размер затычки был такой, чтобы нельзя было вытолкнуть ее языком.

АВТОР

# 3
# БАЛЛАДА О ДОБЛЕСТНОМ РЫЦАРЕ ИВАНЕ ХУЕВЕ

Редакторские изменения, производимые в благих целях эстетизации и гуманизации текста, приводили порой не только к забавным казусам, но и принципиальной трансформации социокультурного пространства; обретения неизбежно сопровождались потерями.

Так, известный американский композитор Муди по вполне понятным соображениям стал писаться в русской советской традиции «Моди». Неумышленная доходчивость оригинальной транскрипции могла помешать пролетарским слушателям правильно понимать его музыку. Представьте концертный зал с нарядным рабочим классом, и вот конферансье торжественно объявляет!.. А народ понимает его неправильно: не готов.

Крупный норвежский писатель, лауреат Нобелевской премии Сигурд Хёль на родном языке имеет сомнительное счастье быть известным как «Хули». Трудно ожидать непредвзятого отношения читателя к роману, подписанному таким образом. Хули, «Моя вина». Это уместно в пьяном покаянии у пивного ларька, но не на книжной полке культурного человека.

А городок, у которого произошла последняя битва Цезаря, знаком советским любителям истории как Мунда, но не Монда, которая также знакома, но уже как нечто совершенно другое; хотя

войска последних помпеянцев там, как говорится, накрылись, сохранение оригинального написания имело бы известный смысл, – но такой, э-э, казарменный сарказм в исторической науке неуместен. Битва при м.... – нет, это помесь Рабле с Брейгелем, возникающим ассоциативным связям недостает исторической объективности.

Однако наряду с этими мелочами приходится с прискорбием констатировать и явные потери для национальной культуры. Каждый, кто знаком со статьей Белинского о Вальтере Скотте, обращал внимание, что фамилия доблестного рыцаря из одноименного романа пишется не «Айвенго», но по традиции первой половины XIX века буквально передает оригинальную транскрипцию: «Ивангое». Несколько странно для английского рыцаря, не правда ли. Но что же из того, спросит читатель? А то, что если не пожалеть немного времени и заглянуть в текст прижизненной публикации («Литературные мечтания», журн. «Библиотека для чтения», 1834 г., № 2) –

то там значится «Ивангуе». Невелика, казалось бы, разница; все равно подобное прозвание совершенно не характерно ни для саксов, ни для кельтов, ни для норманнов.

Заинтересованный исследователь имеет возможность ознакомиться с первым изданием «Айвенго» (Изд-во «Х. Пирсон», Лондон, 1820) – и его ждет небольшой сюрприз: в предпосланном первому из трех томов настоящего издания авторском предисловии герой именуется в архаичной ономастической традиции «Иванкхуе» ("Ivanchue")! Сделано это могло быть по единственной причине: для создания большей исторической достоверности. При всем консерватизме английского языка и его сформированности ко времени Вальтера Скотта, отвердение и озвончение глухих сонорных согласных вполне находится в русле процесса второй палатализации в английской фонетике и отражается в изменениях графики в течение XII–XVIII веков. Тоже ничего странного? Кроме одного – исходного имени.

Христианское «Иоанн», соответствующее русскому «Иван», передается английским «Джон» (“John”), как всем известно. Разница в написании имен Иоанна Безземельного и Джона Фальстафа существует лишь в нашем воображении благодаря редактуре перевода, вошедшей в русскую переводческую традицию: в оригинале это одно и то же имя. Однако есть в английском и старинное, ныне практически не встречающееся имя «Айвен», в написании «Иван» (“Ivan”). Никаких германо-романских корней в нем не прослеживается, лингвистические связи как бы отсутствуют: оно словно возникает ниоткуда и время от времени мелькает в хрониках с конца XI века.

А теперь возьмем хорошо известный Вальтеру Скотту классический труд Холлиншеда «Хроники Англии и Шотландии» — и нам откроется примечательнейший факт: в 1067 году, через полгода после битвы при Гастингсе, король Вильгельм I Завоеватель возвел в рыцарское достоинство нескольких норвежских дружинников из числа служив-

ших ему: Халльфреда, Эйвинда, Рагнхальда, имя же четвертого... Иванкхуефф! Комментарии, как говорится, излишни? Нет, комментарии как раз требуются. Откуда взялись норвежцы? И где мог раздобыть себе такое имечко один из них?

Они могли прибыть наниматься на службу к новому королю Англии, который был родственных им северогерманских кровей. Но нормандцы за века во Франции достаточно офранцузились, язык их стал диалектом старофранцузского, завоевание Англии принесло богатейшую добычу и высокое положение не только хлынувшей с первой волной нормандской знати, но и прежде всего войсковой элите короля; с чего бы Вильгельму вводить в дворянство пришлых норвежцев, о знатности и заслугах которых летопись ничего не говорит? Эта версия сомнительна.

Норвежская дружина могла присоединиться к его войску еще до вторжения, в Нормандии, позднее же выразила желание остаться в Англии навсегда, и

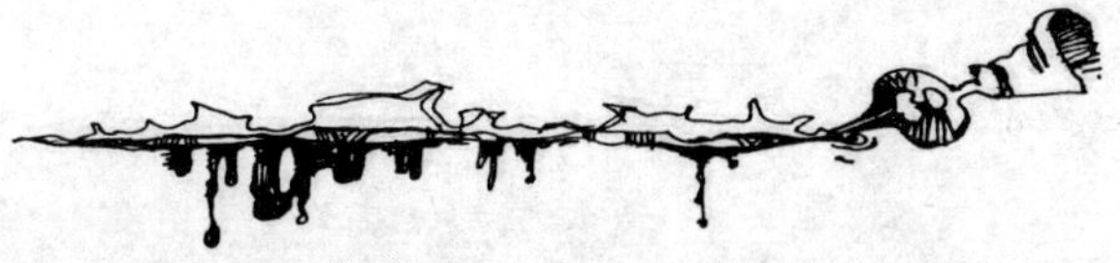

лучшие из бойцов, участвовавших в завоевании, стали рыцарями. Возможно. Но откуда «Иванкхуефф»? Можно строить гипотезы и делать допущения, но не более того.

Третий же вариант объясняет все.

25 сентября 1066 года в битве при Йорке (Стэмфорд-Бридж) англичане Гарольда II разбили и почти полностью уничтожили высадившееся норвежское войско короля Харальда III Хардероде и ярла Тостига. Харальд погиб, Тостиг с немногими оставшимися в живых был взят в плен. Через три дня Вильгельм, в свою очередь, высадился в Англии. Гарольд ринулся ему навстречу. В сумятице поспешного перехода Тостигу удалось бежать. Теодорик в «Истории о древностях норвежских королей» упоминает об этом, называя и еще двоих, бежавших с Тостигом: это Халльфред и Иванххуйв!

Бежавшие сумели достичь войска Вильгельма, потому что об участии в битве при Гастингсе ярла Тостига, сподвижника погибшего незадолго до этого

Харальда Хардероде, прямо говорит в своих «Хрониках» Саксон Грамматик. Было бы совершенно нелогично предположить, что несколько бойцов, вместе с ним бежавших и впоследствии одновременно посвященных в рыцари, почему-либо не участвовали бы в сражении, ибо никаких иных оснований к их возвышению не просматривается.

Остается выяснить, откуда Иванкхуефф-Иванххуйв взялся на службе у Харальда. По рассмотрении это оказывается не таким сложным. Поскольку трудно отделаться от подозрения, что «здесь русский дух, здесь Русью пахнет», попробуем пойти на этот запах. И окажется, что наш путь во многом совпадает с биографией Харальда.

Ярл Харальд с дружиной викингов в молодости совершил поход в Средиземное море, после ряда успешных битв был с почетом приглашен на службу к королю Роже (Рогеру) Сицилийскому, сражался под его знаменами и по истечении оговоренного срока был с дарами отпущен домой. Поднимаясь путем «из

греков в варяги», в Киеве он принял предложение великого князя Ярослава и был приближен к столу как человек знатный и начальник вошедшего в княжью дружину самостоятельного наемного отряда отборных бойцов. Бойцовые и деловые качества Харальда немало характеризует и то обстоятельство, что у Ярослава он был не кем-нибудь, а занимал рисковое и ответственное место главного сборщика налогов. Как в те времена собирались налоги, мы помним по горестной судьбе Игоря, убитого за этим занятием древлянами. Налоговую службу население никогда не жаловало.

Харальд вытрясал деньги из славян на законных основаниях настолько неплохо, что Ярослав выдал за него свою старшую дочь Елизавету. Тогда же он заслужил у дружины прозвище Хардероде (Жестокий), которое успешно оправдывал и впредь. Таким образом, будущий норвежский король стал зятем великого князя Киевского. Сам же Ярослав в скандинавской традиции стал именоваться, увы, Скупым.

Связи Древней Руси со Скандинавией исследованы давно и досконально. А в интересующей нас частности: тесть норвежского короля Ярослав I Владимирович был, в свою очередь, зятем короля Швеции Олафа, женатый на его дочери Ингигерде. Сын Рюриковича и Рогнеды, по крови он был скандинавом и сам.

В позднейшей редакции князь Ярослав был прозван Мудрым. Здесь имелось в виду более его грамотность, нежели умственные способности, что не совсем одно и то же: если его отец, Владимир Красно Солнышко, не умел читать, что было нормально, то Ярослав не только читал, но и организовал перевод ряда христианских книг с греческого на русский; при нем же была составлена «Русская правда», перекликающаяся с «Салической правдой» и «Правдами» других германских народов, составленными в VI–IX веках.

Государственная же его мудрость до крайности сомнительна. Началом самостоятельной деятельности Ярослава, посаженного отцом на Новгород, явился

отказ отчислять какие бы то ни было деньги в общегосударственную киевскую казну: подготовку к войне из-за этого прервала только неожиданная смерть Владимира. Продолжением явилась братоубийственная война. Но в завершение карьеры только политически дремучий человек мог раздробить собственное государство на части между пятью сыновьями и одним внуком, тем самым уничтожив единство, мощь и влияние Руси, до того двести лет успешно объединяемую рюриковичами, и положив начало многовековым междуусобицам и братоубийственной резне. На память приходят лишь два подобных примера: король Лир и президент Ельцин.

Чадолюбие князя сыграло черную шутку с его народом и страной. Ни один князь ни до, ни после него не пристраивал своих отпрысков столь успешно: дочь Анна была выдана за короля Франции Генриха I, Анастасия — за короля Венгрии Андрея, сын Изяслав женат на сестре польского короля Казимира I,

Всеволод — на греческой царевне, дочери Константина Мономаха; старший же сын Владимир женился на дочери короля английского Гарольда — таким образом при Йорке сражались насмерть два родственника, породнившихся через Ярослава: зять пострадал от отца невестки, на чью корону покусился. Это же чадолюбие обеспечило нас сюжетом, который мало прослежен в истории по причине незначительности и достаточной обычности в те времена, нам же сейчас представляется не только заслуживающим внимания, но и задевающим вообраажение.

В 1051 году трон Норвегии оказывается свободным, и Харальд в силу своего происхождения (а также богатства и военных успехов) мог успешно претендовать на него. Собственно, только с расчетом на это Ярослав и выдал за него дочь.

По традиции того времени в приданое княжеской дочери и невесты короля входили не только деньги, драгоценности, оружие, товары и слуги. (Наследная

принцесса приносила супругу также свои земли во владение.) Невеста отправлялась на новую родину с военной дружиной, служившей ей охраной в дороге и личным почетным эскортом при дворе. Численность дружины служила одним из мерил ее высокого положения и достоинства. Это были земляки, на них надежнее можно было положиться при дворцовых передрягах, они были преданы лично ей, в чем при отправлении давали клятву ее отцу: числясь на службе у нового государя, они оставались при этом личной дворцовой гвардией государыни; учитывая нравы эпохи, это было оправдано и логично.

Ярослав же вдобавок был заинтересован в том, чтобы его зять имел на тинге все шансы на трон и корону, для чего требовалось произвести максимально благоприятное впечатление на сограждан как своим богатством и военными успехами, так и могущественным родством с главой великой державы и демонстрацией наличной военной силы: последнее всегда оставалось наиболее

убедительным аргументом королей. Ярослав подсаживал Харальда на престол уже тем, что положил на чашу его весов свой авторитет, породнившись с ним; авторитет этот требовал зримого подтверждения. Харальд шел домой с немалой по норвежским представлениям дружиной.

Венчание состоялось в Киеве, и Харальд с молодой женой отбыл в Норвегию незамедлительно, победил соперников на великом тинге и стал королем Норвегии Харальдом III Хардероде; жена его вошла в историю Скандинавии под именем Элис Норвежской.

Татищев в «Истории Российской с самых древнейших времен» указывает, что только лодей с воями с Харальдом ушло шесть. Обычное число воинов на походно-боевом «драконе» норманнов было около пятидесяти — итого дружина насчитывала не менее трехсот человек. Из тех, кто когда-то отправился с ним в викинг из Норвегии в Средиземноморье, могло остаться от силы несколько десятков. Татищев же называет

в числе отплывших из Киева дружинников Илию Багрянородного, Антипа Путшу и... Ивана Хуева! В краткой характеристике выделенных воинов летописец говорит о последнем: «До рати и красных дев зело удал», чувствуя потребность объяснить приметное и «говорящее» прозвище, которое в те времена отнюдь не воспринималось столь неприличным, как сейчас (достаточно упомянуть, что того же корня слова «хула» и «хулить» употребляются нами и сейчас в литературной речи в своем исконном смысле и никого не смущают). Ничего странного во включении в дружину славян нет: еще со времен Святослава в княжеские дружины стали брать и лучших бойцов из славян; норманнские же дружинники нанимались на службу на оговоренный срок и за соответствующее содержание, и им не было никакого расчета возвращаться в родные края с соотечественником, чьи материальные возможности были гораздо скромнее, чем киевского князя, а ближайшее будущее виделось менее гарантирован-

ным; а кроме того, чужеземцы-норманны были на Руси гораздо надежнее и управляемее своих во внутренних распрях, беря во внимание лишь приказ воеводы и князя, – норвежцам же на тинге правильнее было бы предъявить бойцов из уроженцев русских земель как показатель военной силы собственно Руси, а не земляков-скандинавов. Татищев в этом месте ссылается на «Повесть временных лет», наиболее полным списком которой обладал; этот список был безвозвратно утрачен в 1746 году при разграблении его петербургского дома, когда, через год после возвращения из Астрахани с должности воеводы, он по доносу был обвинен в лихоимстве, пытан, бит кнутом и сослан в Сибирь на вечное поселение, где и умер в 1750 году.

Прежде, чем все концы нашей истории сойдутся, бросим краткий взгляд на происходившее в XI веке в Англии. А это была эпоха столь бурная, что по сравнению с ней «смутное время» Руси следует уподобить зеркальной глади и тиши.

В 1013 году король Этельред сдал битву королю датскому Свейну образом столь позорным, что бежал в Нормандию, укрывшись при дворе Герцога Нормандского, отца его жены Эммы. Свейн же объявил себя королем Англии. Через год Свейн умер, Этельред схватил жену под мышку, мгновенно переправился из гостеприимной Нормандии обратно в Англию и продолжил царствование.

Через год умер после этих волнений и он, и тогда двадцатилетний сын Свейна Кнут решил, что пора свести счеты: его отец добыл право на английскую корону мечом в честном бою! Он высадился в Англии и в пяти сражениях растер в прах Эдмунда Железнобокого, сына и наследника Этельреда. Эдмунд получил жизнь, которой сумел воспользоваться лишь для того, чтобы выпить на пиру вина и тут же переселиться в тот лучший мир, где викинги не режут англичан.

Кнут же стал королем Англии, Дании, Норвегии и Верховным лордом Шотландии, и двадцать лет царствовал

как Кнут Великий. Мало того: он женился на вдове недобитого отцом Этельреда, королеве-матери Эмме! И она еще родила ему сына.

При таком раскладе младший сын Эммы и Этельреда, Эдвард, почел за благо бежать как можно быстрее и незаметнее проверенным маршрутом в Нормандию – к дяде герцогу. Где и пересидел врагов, пользуясь всеми преимуществами любимого родственника, в покое, пока хлопоты царствования не свели в могилу Кнута Великого, и его старшего сына от первого брака Гарольда I, и его младшего сына от Эммы Хартакнута. После чего мгновенно вернулся в Англию и стал королем.

Но двадцать пять лет нахлебничества повлияли на его характер: он стал невоинствен, осторожен, богомолен, и назван Эдуардом Исповедником.

Из семи влиятельнейших и владетельных родов (домов) Англии бал правили уже два века герцоги Уэссекского дома. Через десять лет вяло-исповеднической деятельности Эдуарда они реши-

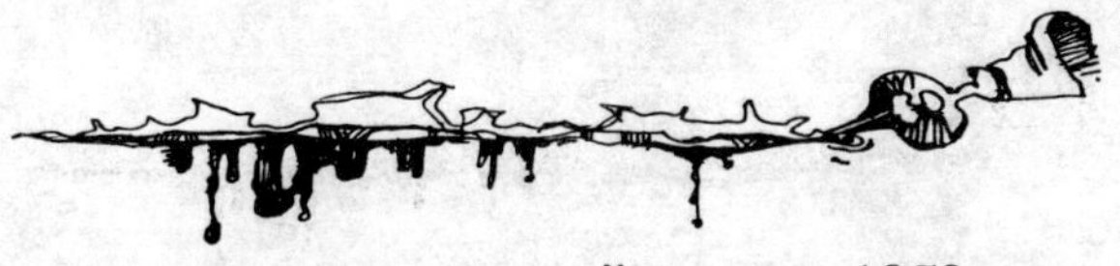

ли, что так дело не пойдет, и к 1053 году реальная власть переходит в руки Гарольда Уэссекса.

В 1066 году Исповедник умирает весьма безответственным образом – не родив наследника. Уэссексы с грехом пополам успевают вырвать у усыпающего завещание в пользу Гарольда и провозглашают его королем Англии Гарольдом II.

И тут из-за пролива раздается несогласный голос. Позвольте, говорит Вильгельм Нормандский, но ближайший родственник и наследник умершего короля – это я, его двоюродный брат! Мы внуки одного деда, его мать – нормандка и моя тетя, он полжизни провел в нашей семье, он неоднократно говорил, что наша семья ему наследует, если у него не будет детей. А Гарольд сам еще недавно обещал мне трон, если я поддержу его против наглого и жадного брата Тостига! Как же насчет справедливости?!

Проехали, отвечает Гарольд, законный король – я. А войск у меня сегодня достаточно, чтобы одарить шестью фу-

тами английской земли любого претендента.

Так что — кузена Эдварда двадцать пять лет облизывали зря?.. Шутишь. Вильгельм начинает собирать ополчение. И заключает наступательный союз с отчаянным драчуном Харальдом Хардероде, а также с родным братцем Гарольда эрлом Тостигом. Сулит союзникам массу выгод и прибылей: мне — корону, и вам мало не отделю.

Высадка должна была произойти одновременно, но тут Вильгельм проявляет себя как истинно государственный муж и обходится с союзниками подобно тому, как в сентябре 1939 года Сталин поступил с Гитлером при вторжении в Польшу: пусть вся тяжесть первого удара и ответственность за него ляжет на союзника, который ослабит врага — а потом мы воспользуемся всеми возможными преимуществами в зависимости от результатов их схватки, сохранив за собой свободу маневра.

В сентябре 1066 года Харальд при поддержке Тостига высаживается в Англии.

Как водится, Вильгельм свое опоздание объясняет непогодой, неготовностью кораблей и прочими объективными причинами, обещая подоспеть со дня на день.

Тем временем опытный и храбрый Харальд вынужден принять сражение и 20 сентября при Фулфорде в пыль разносит англичан, предводительствуемых графами Эдвином и Моркаром. И вот тогда Гарольд, стремясь не допустить соединения союзников и разбить их поодиночке, сам движется на норвежцев основными силами и в жестоком сражении уничтожает почти всех при Йорке, о чем мы и упоминали несколькими страницами выше.

Как только известие об этом доходит до Вильгельма, он тут же форсирует Ла-Манш – через три дня после Йорка! Гарольд бросается навстречу.

Таким образом 14 октября при Гастингсе сильно поредевшие ряды англичан, истрепанных и утомленных боями и форсированными маршами, насчитывают 10 000 человек, и 9 000 свежих нормандцев разбивают их.

Норвежцы, как участвовавшие в этой битве, так и освобожденные после нее Вильгельмом из плена, вольны теперь вернуться домой или пойти на службу к новому королю Англии, нуждающемуся в надежных сторонниках против многочисленных подчиненных англосаксов.

Для славянина, не пустившего корней в Норвегии и лишившегося как своего норвежского короля, так и умершего к тому времени посылавшего его Ярослава, положение было нелегким. Елизавета-Элис перестала являться правящей королевой; вопрос о преемственности власти в Норвегии оставался открытым, будущее — неясным. Вполне естественно, что Иван предпочел надежность и перспективы открывающегося перед ним пути и остался в Англии. Обретя рыцарское достоинство и вознагражденный Вильгельмом, он в 1068 году женился на одной из дочерей графа Биргира Гераре, откуда и берет начало его род в Англии.

Остается лишь добавить, что внук его, унаследовавший по-видимому бой-

цовский характер и неукротимое женолюбие деда, имел несчастье навлечь на себя приязненный взгляд еще молодой Элеоноры Аквитанской и был удален от двора Генрихом Плантагенетом, вел частную жизнь рыцаря в своем поместье и женился на дочери обедневшего тана саксонке Эдит, родового имени которой история не сохранила. Этим обуславливаются как саксонские пристрастия его сына, отставленного от круга нормандской знати, так и установившаяся близость юного рыцаря из опального рода с принцем и позднее королем Ричардом Львиное Сердце – сын Генриха с детства враждовал с властолюбивым и подозрительным отцом и старался окружать себя личными приверженцами, каких всегда немало и с благодарностью находится среди обиженных. Этот юноша и есть правнук киевского дружинника, известный нам как «Айвенго». Нельзя исключать и того, что причиной симпатии Ричарда послужила красивая внешность молодого человека, хотя в описываемое в романе время го-

мосексуальные пристрастия принца еще не получали открытого выражения.

Вступив по смерти отца жены во владение майоратом и получив от короля Ричарда в 1196 году титул барона, в дальнейшем он фигурирует под усеченным родовым именем, где отброшены конечные «фф», не произносившиеся по-французски – на языке, который два века был придворным и официальным языком Англии (Генрих Плантагенет не знал английского вообще); это усечение переставших произноситься окончаний характерно для процесса слияния французского языка с английской разновидностью старогерманского, что продолжалось до конца XIV века.

Последний раз Иванкхуе упоминается в хрониках середины XV века; вероятнее всего, мужская ветвь его рода пресеклась в ходе войн Алой и Белой Розы.

Такова связь между славянским дружинником Ярослава и правнуком этого дружинника, приближенным Ричарда Львиное Сердце, героем всемирно

знаменитого романа — доблестным рыцарем Айвенго.

Повесть эта вполне лестна для русского национального чувства и способна — пусть малым, однако же — украсить и обогатить собою отечественную историю, которую мы, благодаря вековой редактуре, знаем до печали скверно. Преуспев в закрашивании родимых пятен собственного прошлого, мы тем самым выковыряли и весь изюм из каравая своей истории, со скукой превратив его в черствый и пресный хлеб без поджаристых завитушек и аромата, которые составляют особенную его прелесть.

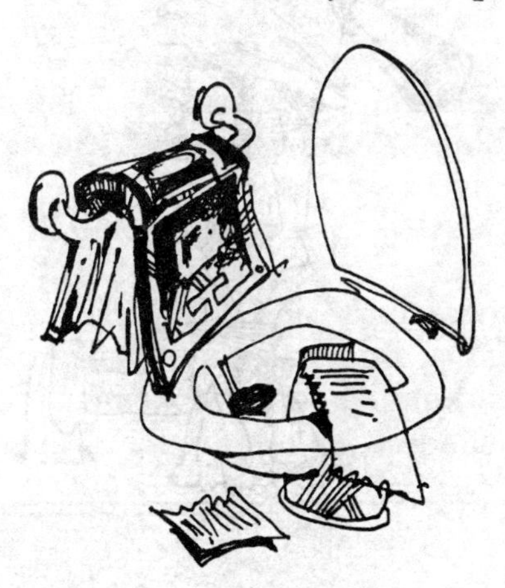

## 4
## МАЛЕР. «ПЛАЧ ЗАМУЧЕННЫХ ДЕТЕЙ»

Редактор *(вставая из-за стола навстречу автору)*. О, рад вас приветствовать! Располагайтесь пожалуйста... вот вешалка. Ну, как дела? *(Рукопожатие.)*

Автор *(манкируя предоставленной ему возможностью повеситься сразу; пытается одновременно улыбаться и снять*

*пальто).* Добрый день! *(Усомнившись в своих словах):* Э-э... простите, если заглянул раньше, чем, э-э... у вас сформировалось окончательное мнение.

Редактор. Ну что вы. Я ведь вас пригласил, как вы понимаете, не просто так. Есть предметный разговор. *(С приглашающим жестом, шутливо):* Пожалуйте к барьеру! в смысле — прошу к столу!

Автор (*про себя:* «За которым будут есть меня самого»). Я, э-э... со своей стороны... всегда рад сотрудничать с вами... *(Боится дышать, чтобы неосторожным словом или жестом не порушить хрупкое равновесие карточного домика: кажется, редактор дает ему надежду на вожделенное сотрудничество.)*

Редактор *(потирая руки).* Ну что же. Не буду вас томить. Руководству вы понравились. Редколлегия утвердила... хотя споры и были, ну это так. Так что я вас поздравляю, хотя поздравлять, конечно, еще рано, но я надеюсь, что все будет в порядке.

Автор *(скромно вспыхивая майской невестой).* Спасибо!.. Это замечательно!..

Редактор *(потирает руки, садится удобно, по-рабочему утверждает локти на столе)*. Ну что же, давайте работать!

Автор *(опускается в креслице, и голова его оказывается в уровень с крышкой стола, что сразу создает сковывающее чувство зависимости)*. Конечно. Я готов. Спасибо.

Редактор *(с угрожающим проблеском подозрения)*. Или, может быть, вы из тех, «мраморных», как мы их называем, которые вообще желают не дать прикоснуться? отвергают любые рекомендации *(сжимает губы)*.

Автор *(изображает лицом готовную радость охотничьей собаки кинуться по первому сигналу хозяина в болото за палкой)*. Ну что вы! Любой нормальный автор только благодарен за квалифицированную помощь! Никто, как мы понимаем, не совершенен.

Редактор. Страшно приятно это слышать. Не все думают так, как вы. Уверен, что у нас с вами все хорошо получится. Да и работы, честно говоря, немного.

Автор *(со всей мыслимой сердечностью).* Спасибо. Это лестно слышать.

Редактор. Итак?

Автор. Итак! *(Не совсем надежно скрывая восторженной улыбкой тоску обреченности, настраивается сражаться за свое кровное. Колеблется, следует ли расценивать пепельницу с окурками на редакторском столе как безусловное позволение курить и посетителям.)*

Редактор. По порядку. Рост у вас неплохой, но немного великоват. Как вы смотрите на то, чтобы уменьшить его на четыре сантиметра.

Автор. Да, конечно... Но, видите ли... У меня вся одежда на этот рост. И жена уже привыкла, и знакомые както... Это мой рост, один из важных признаков конкретного человека, характерная деталь. И он в рамках нормы, ничего страшного...

Редактор *(с твердостью интеллигентного наставника).* Согласитесь, что торчать поверх толпы не очень уместно. Излишнее обращение на себя внимания мешает разглядеть ваши истинные до-

стоинства: вы ведь скромны, тактичны, умны. На четыре сантиметра ближе к земле – это будет гораздо лучше, уверяю вас. Это мелочь, но из таких мелочей складывается художественная гармония. И замглавного обратил на это внимание, и завпрозой. Для вас что, это так важно?

Автор *(мучительно колеблется, памятуя про увязший коготок)*. Ну хорошо...

Редактор. У вас очень выразительный профиль. Профиль удачен. Но вот нос немного подкачал. Я бы назвал ваш нос не совсем обдуманным, может быть. Вы же не римский полководец, не «конкистадор в панцире железном». Вам свойственна такая легкость, изящество даже, я бы не побоялся сказать. И вдруг на общем фоне – такой, простите, как бы таран. Нет, нос решительно требует замены на греческий, даже чуть-чуть курносый.

Автор. Видите ли, это один из моментов моей индивидуальности.

Редактор. Понимаю. Но уверяю вас, ваша индивидуальность от этого

ничуть не пострадает. Даже выиграет. Вы знаете, этот вопрос мы даже дома с женой обсуждали, и она тоже сказала, что так ей понравится гораздо больше.

Автор. Но ведь тогда изменятся все пропорции лица!

Редактор. Совершенно нет. Мы просто уберем лишку. *(Убирает. Автор хранит стоическую выдержку.)*

Автор. Я не уверен, что так лучше.

Редактор *(с теплой доброжелательностью)*. Через какое-то время сами поймете, что так гораздо лучше. Так... что у нас дальше?.. здесь все хорошо... Ага, вот: у вас узковаты плечи.

Автор. Да ни к чему писателю изображать из себя супермена или культуриста.

Редактор. Не могу тут принять вашу точку зрения. Кулаки молодцу не помеха. Добро должно быть с кулаками. Сравните хоть с классикой: «Раззудись, плечо!». Или к народным истокам припадем, к фольклорной сокровищнице: «Косая сажень в плечах». *(Заговор-*

*щицки):* Скажу еще вам по секрету, хоть это и нехорошо, может быть, но — ладно... Нашему главному очень нравятся широкие плечи. Возможно, он иногда склонен чересчур... Но в данном случае я с ним согласен. Это не обязательно, в общем... Но это было его личное пожелание; вы понимаете? Я рекомендую вам согласиться. Он к вам очень хорошо относится...

Автор *(неожиданно для себя подмигивает: у него нервный тик).* Хорошо. Дальше.

Редактор *(ободряюще кивает; ему тоже нелегко).* Так... ноги чуть-чуть попрямее... вы не против? ну и хорошо. Где ножовка? Протяните мне, пожалуйста. Спасибо... так... Здесь... гм... а, ладно, оставим как есть, в конце концов лично мне тоже нравится. Да... А вот здесь уже момент принципиальный.

Автор *(с беспокойством).* Где?

Редактор *(указывает).* Ну вот, смотрите сами. Это явный перебор.

Автор *(в холодном поту).* Но автор имеет право!

Редактор. Право подразумевает обязанность следовать литературным законам. Нравственные традиции русской литературы предписывают известную стыдливость, целомудрие. Вы посмотрите... ну что это такое?..

Автор. Но это сознательно, я так хочу! Известны случаи, когда вообще *(показывает руками, как рыбак размер пойманного леща)*.

Редактор. При всем моем уважении к вам – согласитесь, ну вы же не Казанова, этот элемент был бы уместен разве что в порнотриллере. Здесь же не эротическое шоу, не стриптиз для женщин, верно? Кстати, все в редакции, и в первую очередь наши дамы, обратили на это внимание. Это вызывает нездоровую реакцию, не имеющую ничего общего с задачами литературы. Возникает впечатление попытки какой-то дешевой сенсационности.

Автор. Но этого почти никому не видно!

Редактор. Тем более я не понимаю, почему это имеет для вас такое

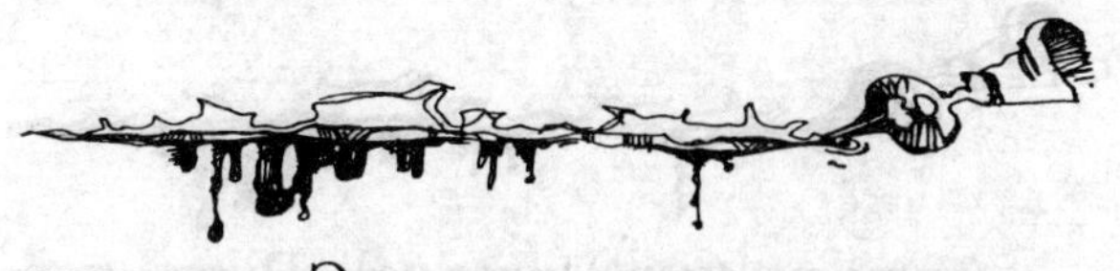

значение. Это явное нарушение законов жанра, который вы сами избрали. Это искажает гармоничность вашего образа.

А в т о р. Но это традиционно – символ мужественности, плодородия, презрения к врагу. Это нравится женщинам! Это, в конце концов, внушает определенное уважение – причем без страха, а так, с юмором, весельем... элемент удивления, опять же.

Р е д а к т о р. Я понимаю, что вы гордитесь этим как своей творческой удачей. Но в случае нашего, э-э, сотрудничества это совершенно неуместно.

А в т о р. Но вы сами говорили о связях с классикой, с фольклором!

Р е д а к т о р. Именно. Что?

А в т о р. «Эх, дубинушка, ухнем!» Барков!

Р е д а к т о р. Это вопиюще выпирает из контекста.

А в т о р. Пусть выпирает.

Р е д а к т о р. Как сказал тонкий стилист Станислав Ежи Лец, «Не все то лебедь, что торчит над водой».

Автор *(непримиримо).* Пусть торчит!

Редактор *(закуривая).* Если вы чем-то меня и удивляете, то только неожиданной несговорчивостью. Я не думал, что мы так заострим внимание на этом моменте.

Автор *(сжигая сигарету в две затяжки).* Нет, это я прошу оставить.

Редактор *(сухо и кротко).* Хорошо. По-человечески я могу вас понять. Но и вы меня поймите: оставить это так я просто не имею права. Если нам с вами не удалось найти общий язык, я передаю вас Алевтине Васильевне. Она опытный редактор, изъявляла желание работать с вами, но я подумал, что мы с вами сумеем легче и с минимальными взаимными потерями обо всем договориться. Только учтите, что она будет кастрировать сразу.

Автор *(приходя в сознание).* Ну зачем же так... сразу...

Редактор. У вас есть выбор.

Автор *(скорбно).* Ну... может быть... чуть-чуть...

Редактор *(дожимает ситуацию)*. На восемьдесят семь.

Автор. Что-о???!!!

Редактор. Процентов.

Автор. Но что же останется?!

Редактор. Тринадцать. Это неброско, скромно, и одновременно создает нужные, богатые ассоциации.

Автор. Да почему же всего тринадцать!! Если даже взять статистику, средний заурядный уровень, и то больше!!

Редактор. Ну вы же талантливый человек, почему мы с вами должны ориентироваться на заурядность. Ну хорошо, я иду вам навстречу. Оставим вот так... шестнадцать.

Автор. Это пятнадцать!

Редактор. Так... Протяните мне, пожалуйста... нет, вот здесь. Не стоит так волноваться, это не больно, такие вещи мы делаем под наркозом... Вы потом даже не заметите, что что-то было.

Автор *(приходя в себя, тонким голосом)*. А все-таки вы были неправы.

Редактор. Теперь следующее. У вас трое детей, причем все трое — девочки...

Автор *(вскакивает и замахивается настольной лампой)*. Ни за что! Есть же предел!..

Редактор *(удивленно, миролюбиво)*. А чем хуже двое — мальчик и девочка?

Автор. Это мои дети, вы понимаете? Я их рожал, растил. *(Плачет.)* Они болели, температура была... в коляске возил... потом они начали ходить... так радовались всему!.. За что же...

Редактор. Я вас понимаю. Конечно... честно говоря, я сам когда-то хотел иметь детей... Но потом понял, что у каждого своя судьба. Это, вероятно, и к лучшему.

Автор. К сожалению, я не могу на это пойти. Это невозможно.

Редактор *(дружески, ласково)*. Вы зря так болезненно реагируете. Вот мы с Набоковым работали — о, вы не представляете, сколько было мучений! По секрету — там было пять детей, причем от трех женщин. И нам удалось убедить

автора, что гораздо лучше будет оставить только одну девочку, причем почти взрослую девушку, хотя еще несовершеннолетнюю. И в результате мы получили прекрасную книгу, которая переведена на все языки, бестселлер, фильм по ней в Голливуде поставлен. В общем, я вам решительно советую довериться мне.

Автор. Но вы понимаете, что это для меня значит?

Редактор. Конечно. Конечно. Что уж я, по-вашему... Я все это могу сделать без вас. Самому вам тяжело, я понимаю, подняться над собственным произведением, так сказать. Ну хорошо... *(Делает отметки красным карандашом, берет телефонную трубку)*: Корректорская? Наденька, мы тут с автором работаем, кто у тебя на подчитке сегодня? Скажи, чтоб съездила сейчас быстренько туда на квартиру и вычеркнула двоих. Да, только аккуратно, без опечаток, чтоб грязи не было, ну вообще чтоб не страшно, как ты умеешь. Спасибо, умница. Да, а сама сейчас сгоняй в детский

дом, возьми там хорошенького мальчика лет шести, и привези туда. Да, отдай матери. Только не перепутайте, ради Бога. Да! Да! Я же сказал! Двух девочек убрать, а одного мальчика на их место! Все.

Автор *(достает из портфеля бутылку дешевого коньяка; угасшим голосом)*: Вы не откажетесь со мной выпить?..

Редактор *(вынимает из ящика стола стаканы)*. Только по глотку. За ваше здоровье! Вот – у меня тут есть пирожки из буфета. Хватит, хватит... Ну – за успешное завершение нашей работы. *(Угощает автора сигаретой из своей пачки и подносит зажигалку.)* Так, только это последняя. За вашу успешную публикацию!

Автор. Как вы думаете, на какой номер это планируется?

Редактор. Пойдет в последнем квартале этого года. Ну, мы с вами почти завершили. Ногти вы подстрижете сами *(автор краснеет)*. В парикмахерскую сходите... галстучек купите новый.

Автор. Конечно.

Редактор. Ну, теперь мелочи. У вашей жены слишком маленький бюст, мы его увеличим. Не против?

Автор. Но это уже дело вкуса! Мне не нравится большой бюст!

Редактор. Мы все-таки должны считаться и с читательскими вкусами тоже. Посмотрите: разве вот так плохо? А?

Автор. Это что? Реклама молочной фермы или чемпионата мира по футболу? Давайте лучше оставим как было.

Редактор. Уверяю вас, читателю это будет совершенно непонятно. Вы можете спросить у кого угодно, если мне не доверяете: большой бюст лучше маленького. Вот посмотрите потом свежим взглядом – и сами согласитесь. Просто пока вы писали – что называется, «замылили глаз». Так... Так... Ага – вот. Ей необходим любовник.

Автор. Что-о?! Кому? Моей жене?! Вы с ума сошли! И кроме того – вы просто неправы.

Редактор *(со вздохом опыта)*. Обычно все так говорят – сначала. Ну –

взгляните на вещи шире. Учитывая всю работу, которую мы над вами... простите, с вами уже проделали... Молодая еще женщина, очень темпераментная... согласны?

Автор. К сожалению, нет. Это неправда, видите ли.

Редактор. Что же, мне повторять, что есть правда жизни и есть правда литературы? Как говорил Станиславский, «Не верю!»

Автор. Он говорил это, работая следователем НКВД. И от спектаклей, поставленных по этой системе, остался только автомобиль «Чайка» и песня «Пусть дядя Ваня купает тетю Груню».

Редактор. Ваш рост, некоторые мужские особенности, изменения в семье, изменения в ней самой... у женщины стресс, ей необходимо как-то отвлечься, переключиться. На любовнике я настаиваю категорически! Вы должны быть счастливы: в душе она продолжает любить вас и мучится своей неверностью. Ну-у, будьте мужчиной!.. после того, как мы с вами обо всем так договори-

лись. *(Снимает трубку)*: Секретариат? Мы тут работаем с автором... в одиннадцатый номер... Пусть Збруев завтра до обеда съездит на квартиру, да, к нему, и трахнет жену. Ничего, потом сверстает... это его работа, дизайнер для макета есть! Стой, не клади! Чуть не забыл. На той неделе надо Елина – пометь, это четвертая глава, – сунуть под трамвай. Что значит – насколько? навсегда! Да, вот прямо на месте. Да. Теперь все. Пока.

Автор. Да вы что?! Елин – мой друг. Зачем?

Редактор *(сочувствует)*. Это уже вызвано техническими требованиями. У нас ведь есть ограничения по объему. Больше двенадцати листов просто не помещается. Здесь мы с вами, к сожалению, совершенно бессильны.

Автор. Я с Елиным в одном дворе рос.

Редактор. Вы давно выросли, не живете в одном дворе, без него будет даже лучше. На самом деле он давно вас тяготит. Скучный человек, не-

удачник, вечно пытается занять в долг. А так – красивые похороны, можно проявить свои глубокие чувства, произнести впечатляющую речь... И вдова у него молодая будет, ей еще любви хочется, а вы ей всегда нравились. У вас будет чудесная любовница, вам все завидовать будут! Ну что, плохо?

Автор. Я не хочу его убивать! Не надо!..

Редактор. А кто ж вам велел выбирать такую профессию? Вы что же думали: служение литературе – это розы нюхать? Нет, дорогой мой – это через тернии к звездам на груди и погонах. Вспомните Слуцкого: «И стихам пролагая путь прямее к рублю – я им ноги ломаю, я им руки рублю». А уж он понимал.

Автор. После работы с редактором любовница уже лишняя. Тебе нечего ей дать. Зачем мне после редактора любовница?..

Редактор. Любовница – муза писателя. Где я вам возьму другую музу?

А в т о р *(вываливаясь на улицу, перекошенный, с дрожащими губами).* Суки... гады... падлы... чтоб ты сдох!.. *(Заходит в винный):* Бутылочку водки, пожалуйста! Нет, лучше две.

Р е д а к т о р *(заходя в кабинет завотделом).* Ф-фух!.. Ну, я думаю, теперь это все подчищено, довели до ума. Но иногда вот так фактически переписываешь графоманов, и думаешь: вот печатать все как есть, чтоб все видели этих Шекспиров в полном блеске их таланта. Седьмой час уже!

З а в о т д е л о м. Сдай оружие и иди домой. Полковнику скажи, что я разрешил взять тебе завтра библиотечный день.

Р е д а к т о р *(вынимает наган из кобуры и финку из ножен, кладет на стол).* Служу русской литературе, товарищ полковой комиссар! *(Отдает честь, поворачивается через левое плечо и выходит.)*

З а в о т д е л о м *(оставшись один, печально).* Как печальна вечерняя земля. А талантами не скудеет.

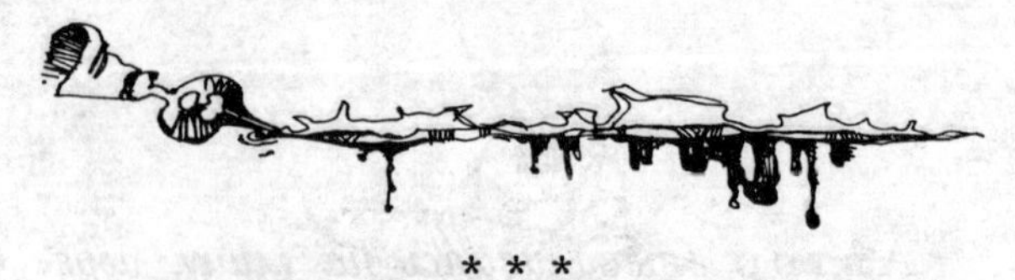

* * *

Редактор *(в темном подъезде руки его примотаны проволокой к стояку отопительной батареи).* Ты что же делаешь!.. тварь неблагодарная, неуч, козел... графоман хренов! За убийство ответишь, психопат, гадина!

Автор *(в экстазе и помрачении бьет его кирпичом по голове).* Я т-тебе поредактирую! Я т-тебе покажу академическую грамматику! С-сам пиши, с-сволочь бездарная! *(Сопит в соплях и слезах.)*

Редактор *(в агонии).* Какую песню испортил... дур-рак!

# ЭПИЛОГ

Памятник Красному Редактору высится на Поклонной Горе — месте, незабываемом для тех, кто еще хранит на себе следы былого редактирования. Он поставлен в девяносто третьем году, в ознаменование семидесятипятилетнего юбилея с начала славных и грозных событий, уже стирающихся из сознания новых поколений. Но никто не забыт и ничто не забыто.

Конная статуя простерла копыта над городом, а шинель на плечах всадника развевается как кавалерийская бурка или античный плащ. В руке всадник

зажал копье, похожее на ручку, или ручку, напоминающую копье. Остро отточенным пером он поражает корчащуюся под копытами рукопись, похожую на растрепанного дракона. На лице дракона застыла бессмертная бронзовая мука.

Здесь любят играть дети и прогуливаются влюбленные пары, вдохновляясь открывающейся панорамой. На хвосте и крупе коня протерта светлая дорожка — шалуны разбегаются и вскакивают верхом, но на гладком металле невозможно удержаться, и они съезжают обратно.

По традиции пятого мая, в День печати, молодые писатели возлагают здесь цветы. Хорошей приметой считается выпить и разбить стакан о копье.

# ПАМЯТНИК ДАНТЕСУ

рассказ

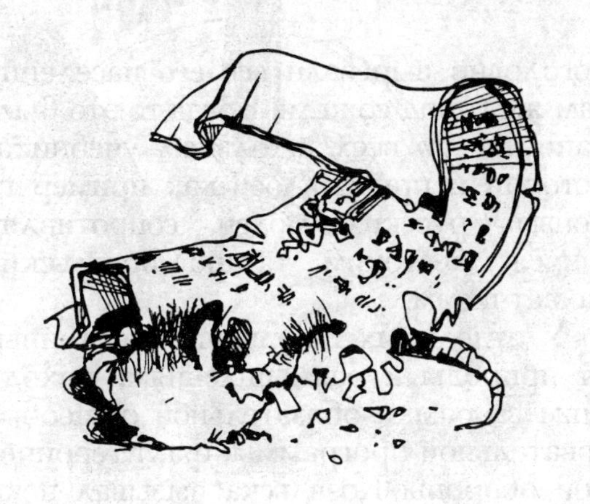

Произошло это в небольшом районном центре под названием Козельск. Заштатный городишко Козельск не примечателен абсолютно ничем, кроме одной страницы в своем далеком прошлом – страницы славной и скорбной. Это тот самый Козельск, который во времена татаро-монгольского нашествия отчаянно сопротивлялся семь недель всему монгольскому полчищу и вошел в анналы как «злой город», под стенами которого монголы положили уйму воинов, и в отместку и в злобе

поголовно вырезали все его население, сам же город сожгли. Когда-то это было написано во всех школьных учебниках истории и приводилось как пример героизма русских людей, сопротивлявшихся жестоким татаро-монгольским захватчикам.

У отдельных школьников, склонных от природы к размышлениям, выходящим за рамки обязательной общеобразовательной программы, факт героической обороны Козельска вызывал некоторые не то, чтобы сомнения, но вопросы, не находящие разрешения. Скажем: если маленький Козельск на целых шесть недель задержал продвижение туч монголов в Европу, то что могли бы совершить Киев или Чернигов, обороняйся они так же стойко? Городов на Руси было много, даже по семь недель на каждый — это уже сотни и даже тысячи недель, и потери монголы понесли бы неисчислимые, так почему же другие города не сопротивлялись столь же мужественно? И почему именно и только Козельск защищался так

героически, а прочие подверглись нашествию как-то... пассивно, что ли. Будь все такими героями, как козельцы, так и конец бы пришел на Руси монголам, наверное.

Но предметов в школе много, уроки каждый день, и даже у самых пытливых юных умов эти внепрограммные мысли дальнейшего развития не получали. Каждый новый день приносил много поводов к мыслям гораздо более серьезным и актуальным. Здесь и успеваемость, и любовь с дружбой, и взаимоотношения с родителями, и деньги, и приличные шмотки, и набить морду кому надо и не получить по рылу самому, и прочее без конца.

Некоторые же из этих школьников, особо умные и любознательные, в возрасте уже сравнительно зрелом раскрывали увлекательные сочинения блистательного историка Льва Гумилева, блистательность которого была наследственной и предопределенной генетически и биографически, как только и может быть у сына расстрелянного в ЧК

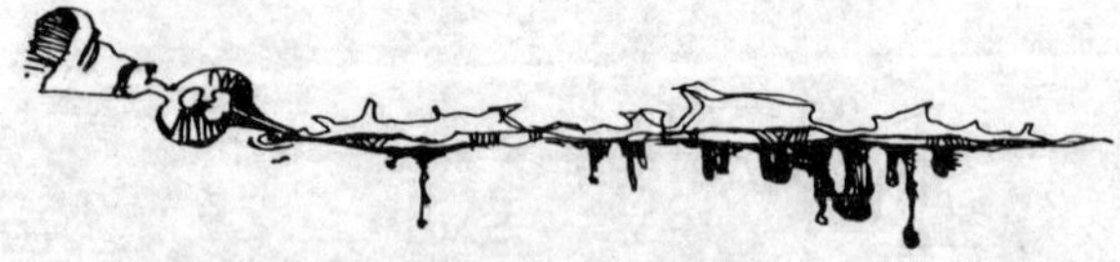

знаменитого поэта и прошедшей вполне крестный советский путь знаменитой поэтессы Анны Ахматовой, и из этих сочинений узнавали с противоречивым изумлением, что накрывшие черной тучей всю Русь монгольские полчища насчитывали два тумена, то есть двадцать тысяч человек – что не есть силища неисчислимая и необоримая, но в масштабах страны и континента не такая уж и большая. Правда, они были отлично организованы, отменно умелы в бою и безукоризненно храбры. И вот этот экспедиционный корпус, состоявший из двух туменов, представлял интересы Великого Кагана на самой северо-западной границе Великой Степи, где и располагалась Русь, и от его имени рассылал посольства по городам, предлагая достаточно умеренные требования двоякого рода: признать принципиальное главенство Чингиз-хана – раз, и в порядке заключения и исполнения союза о ненападении и взаимопомощи раз в год отправлять в ставку Орды скорее символическую, нежели реально обремени-

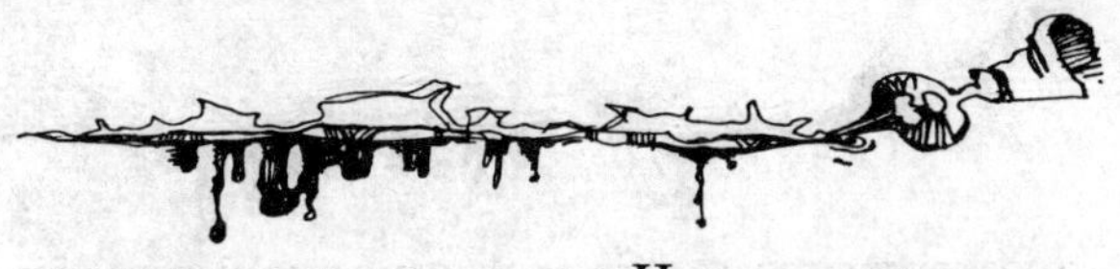

тельную дань, – два. Что могли взять степные воины с Руси? Кони здесь были не те, наемных войск они не применяли, оружие ценилось азиатское, качество его было куда выше, ткани тоже ценились китайские и бухарские. Так что – меха, мед, драгметаллы в очень умеренных количествах. А поскольку непосредственно перед этим на Калке русские опрометчиво попытались вступиться за союзников-половцев и были быстро и крепко биты и разогнаны сильно уступавшим им в числе противником, то в городах сии посольские извещения обдумывали внимательно и решили за лучшее принять.

Собравшиеся раздавить врага четырехкратным перевесом русские войска на Калке возглавляли три Мстислава – Удалой, Киевский и Черниговский. Удалой Мстислав бежал первым, Черниговский – вторым, Киевский сдался. Вследствие этой удали семьсот пятьдесят лет спустя районный цензор Козельска, в силу своей татарской национальности тонко чувствительный к отдельным истори-

ческим моментам, снял с разворота газеты рассказ Джека Лондона «Белое безмолвие», поставленный к юбилею последнего и начинавшийся фразой: «Сколько ни встречал я собак с затейливыми кличками, все они никуда не годились».

Но Козельск стоял на отшибе и не играл никакой заметной роли в тогдашней Руси не только, похоже, в силу своей незначимости, но и в силу умственных и моральных качеств своих жителей, каковые качества, как мы вскоре увидим, и до сих пор не могут позволить Козельску выбиться в приличные города. Потому что еще до этих печальных известий в козельцах, выслушавших монгольское посольство, взыграло чувство превосходства: ишь ты, десяток всадников неизвестно откуда, а тоже туда же – давай еще им что-то!.. Жадность, как давно, но все равно позже чем следовало сформулировали в Одессе, есть мать всех пороков: пожадничавшие насчет дани козельцы объяснили друг другу, что дело не в дани, а в уни-

зительности самого требования, и, согласившись в этом друг с другом, решили послов тут же унизить ответно и в порядке унижения вообще перебили на месте. Как ни мал был Козельск, но с посольством храбрые горожане вполне сумели управиться.

Сын убитого поэта Гумилев своей обстоятельностью и исторической справедливостью озадачивал и смущал ум. Монголы имели массу предрассудков, диковатых на европейский или русский взгляд. Например, посол был лицом абсолютно неприкосновенным, а его убийство — тягчайшим оскорблением правителю и народу. По «Великой Ясе» Чингиза убийство довершегося расценивалось преступлением непрощаемым и каралось исключительно смертью всех к нему причастных: если кто полагает, что беспомощного посла, рассчитывающего на твою честность и благородство и прибывшего для переговоров, можно вот так взять и убить, так этот убийца — человек с червоточиной, с неправильным устройством души, а душу

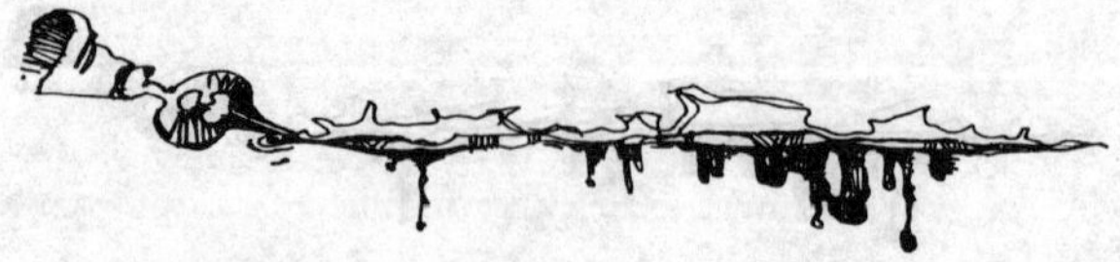

такую он получил от родителей и передал детям — ну так придется вырезать весь род и весь город, потому что такие люди не должны осквернять собою наш мир. Вот такая суровая и простая логика.

На Козельск было отправлено пять сотен всадников. Сил у монголов было мало, и расходовали они их экономно и рационально. Ко времени прибытия полутысячи под стены козельцы уже знали, что неизбежно следует за их поспешным вероломством, и рассчитывать на пощаду им не приходилось никак. Отчаянная защита объясняется не героизмом характера, а безвыходностью положения — все равно умирать со всей семьей и городом, так единственный шанс хоть продлить жизнь — драться на стенах, альтернатива чему — подставлять горло под нож, как барану.

И не потому монголы упомянули Козельск как «злой город», что он сопротивлялся, а потому, что преступил священный закон неприкосновенности доверившихся и убил послов.

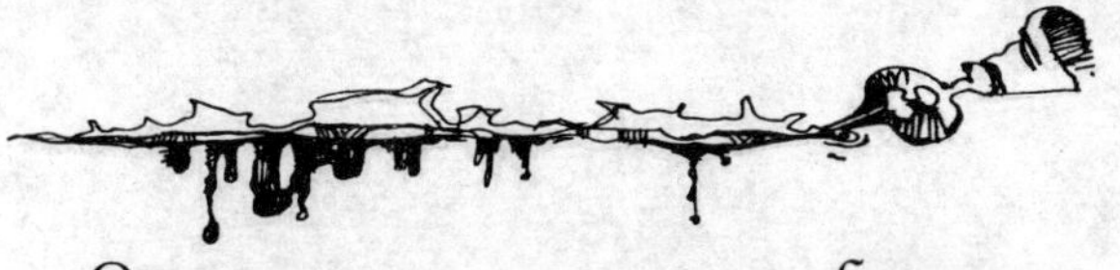

Однако с тех пор минуло без малого восемь веков, давно уже монголы прокатились до Адриатики и Египта и отхлынули обратно, раскатали Китай, сели в Индии, были биты Тимуром, зацепились за Волгу, качают нефть за Казанью, держат дворницкое дело в Москве и живут в ней без малого миллионным землячеством, и нет этому нашему рассказу до них никакого дела, и упомянули-то мы о них только потому, что было это дело в Козельске, о котором ничего больше примечательного и не сказать.

Итак, в районном центре Козельске, в порядке единения со всей страной и еще более глубокого приобщения к русской культуре, было решено ко дню двухсотлетия Александра Сергеевича Пушкина поставить ему памятник. И выделили на это из городской казны посильное количество денег. Интересно заметить, что в контексте слово «посильный» всегда синонимично такому однокоренному ряду, как «малосильный», «бессильный», «несильный». То

есть денег выделили не сильно. Долго кроили и отрезали из зарплаты учителей: мол, акция внутрикультурная, из того же кармана и возьмем. Учителя могли посильно, оно же бессильно, воспротестовать, но их об этом обрезании не известили, чтобы не огорчать лишний раз и без всякого конструктивного результата.

Из соображений той же экономии Пушкина решить делать не ростового, а бюст. Все поддержали друг друга: душа поэта отражается в его лице, а не ногах или других нижних частях тела. Особенно аргументированно говорил один член городского управления, бывший санитарный врач: изображать живот и спину человека, которому всадили свинцовую пулю в живот так, что она повредила позвоночник – это негуманно, жестоко, и лишний раз привлекать к этому внимание поклонников его таланта совершенно неуместно. Болезненная смертельная рана, ну зачем же нам скульптура с животом. Конечно, в Москве или Петербурге Пушкин изображен в пол-

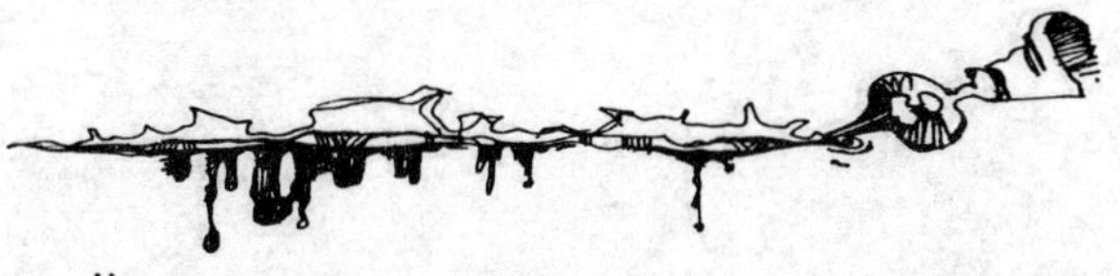

ный рост, но у них там, в столицах, во-первых денег наворовано немерено, а во-вторых народ торопливый и равнодушный, не задумывается над тем, что видит.

Итак, проголосовали за бюст. Стали выбирать скульптора. Всем хотелось талантливого и недорогого. И районное управление культуры такого посоветовало. Человек был уже немолодой, когда-то кончил знаменитое Мухинское училище в Ленинграде и всю жизнь зарабатывал на хлеб Лукичем. Лукичем скульпторы советской эпохи называли промеж собой Ильича; это был профессиональный жаргон. Еще Ильича называли «Кормилец» – не за то, что кого-то накормил, а за то, что кормились им: лепить его приходилось часто, скульптуры Лукича втыкали где только можно, и денег на них отпускали не скупясь, здесь главное было поплотнее пристроиться к кормушке.

А после советской власти кормушка резко съежилась, и когорты осиротелых лукичевцев остались без работы, без

куска хлеба и глотка водки. За умеренную мзду они готовы были ваять хоть Чебурашку.

Скульптор получил аванс, заплатил за отключенное в квартире электричество, побрился электробритвой, выпил в праздничном свете и приступил.

Мудрить он не стал. Взял глиняную заготовку Ленина подходящего размера, бородку переставил на бакенбарды, лысину обрастил кудрями. Нос удлинил, губы приплюснул – как живой Пушкин. Сейчас вскинет руку и скажет: «Зд'гаствуй, милая под'гужка!»

И повез готового ко второму рождению поэта в свет, в областной центр, где на заводе металлоконструкций был литейный цех. Бюст было решено сделать чугунный: бронза – это крутовато, дорого, цветной металл, валюта; и кроме того справедливо рассудили, что бронзовый бюст обязательно сопрут. Город бедный, зарплат не платят, а тут – бронза! Не меньше доллара за килограмм. Обязательно сопрут, в первую же ночь. Тут медные провода от электричек каждый

месяц срезают, одного мужика током убило, когда он в работающую трансформаторную будку за медным проводом полез, а вы — бюст! Ясное дело сопрут. Пусть лучше будет чугунный. Оно и несравненно дешевле. Все равно бронза на воздухе быстро зеленеет, чернеет, окисляется птичьими какашками, что ж к бюсту — лакея с опахалом приставлять? Нет: дружно решили чугунный.

Через неделю скульптор привез Пушкина на попутке. Комиссия прибыла в его полуподвальную мастерскую и встала полукругом с распорядительным и опасным видом семейства Борджиа, принимающего у Микеланджело изображение главы рода.

Бюст понравился. В его прищуре смутно угадывалось что-то родное, от истоков. Постановили одобрить, и комиссия брызнула на этот пир духа тонкой струйкой золотого дождя: из расчета скульптору заплатить за квартиру, выпить и сделать каменный постамент.

Скульптор сумел не только выпить, но и закусить, потому что постамент он

купил в кладбищенской мастерской, где мастер-каменотес давно перешел исключительно на тройной одеколон, поскольку из живого нищего еще никому не удавалось сделать богатого покойника, и денег на приличные памятники не было ни у тех, ни у других. Обычно варили кресты или пирамидки из железного уголка и красили нитроэмалью. Так что прекрасный гранитный параллелепипед удалось приобрести за сущий бесценок.

На радостях экономный скульптор загулял, строя горячечные планы опушкивания всей страны. В своем заказе он узрел симптомы нового скульптурного подъема родины, и в шалмане угощал знакомых, повторяя: «Лиха беда начало!»

Говорят, когда козельцы мочили послов, кто-то тихо предостерег: «Не буди лихо, пока оно тихо». Насчет начала скульптор оказался прав, ибо устами младенца глаголет истина, а пьяный человек — в сущности тот же младенец.

Беда и вправду оказалась сравнительно лиха: когда скульптор вышел из запоя по причине отсутствия наличия денег, что выяснилось непосредственно в винном отделе магазина «Ласточка» и имело следствиями отбирание сумки с водкой и бычками в томате, драку с продавщицей и получение по хребту милицейской дубинкой, он побежал в мастерскую пошукать по выпитым бутылкам на предмет сливания остатков, и выяснил, что ЖЭК выселил его из мастерской. Переговоры с конторой успехом не увенчались: не плачено было за три с половиной года, и пока деньгами не пахло — то терпели, а когда всем стало известно, что скульптор с шиком пропил сумасшедший гонорар за памятник Пушкину для центральной площади, но за мастерскую так и не заплатил, чиновники воспылали ненавистью фискалов к нагой музе ваяния и зодчества, и утром в понедельник все атрибуты и аксессуары его искусства были выкинуты к чертовой матери на чахлый газон меж кустов и экскрементов.

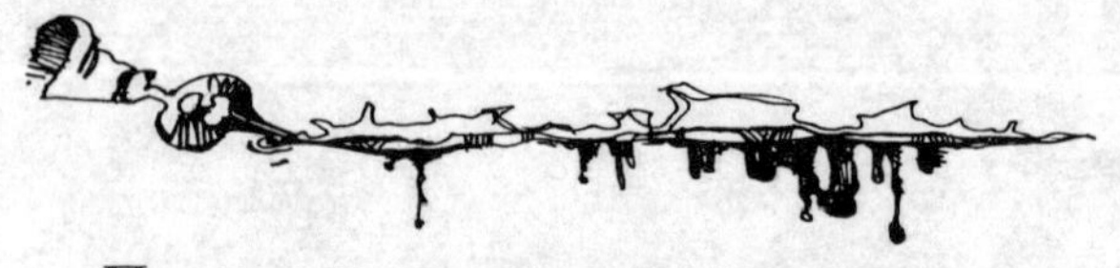

Полезную мелочь скульптор перетащил в квартиру, а с бюстом обнялся в тени и задумался. Святотатство низовых властей уязвило. Но квартира была на верхнем этаже, пятый без лифта. Легкий гений поэта в чугунном варианте стал неподъемен. И кладбищенский постамент не легче.

Он пошел в шалман и пожаловался друзьям. Друзья тоже любили поэзию Пушкина, они налили скульптору и наперебой стали читать стихи. Один выпил, выдохнул и сказал: «Я помню чудное мгновенье». Второй пошутил: «Моя дядя самых честных правил», – и изобразил, как стреляет соседу в ухо из пистолета: правит контрольным выстрелом, значит. Третий, проиграв борьбу с судорогой собственного кадыка и метнув меню в угол, печально сказал: «Приветствую тебя, пустынный уголок». А еще один, упав со стула, процитировал из постановки Белорусского оперного театра: «Паду ли я, дручком пропэртый». Все засмеялись, со стола упал стакан и разбился рядом с головой дек-

ламатора, после чего тот продолжил: «Чи мимо прошпындярит вин». Короче, к Пушкину здесь относились как к родному.

Поэтому, допив, пошли к мастерской, захватив имевшуюся у одного тележку для сумок и чемоданов, и коллективом перевезли в центр площади сначала постамент, а потом и памятник.

Площадь была скромная. Некрупная. В середине ее был газон, но это был такой газон, который вроде бассейна без воды. То есть он не был заасфальтирован, но трава там тоже расти не хотела, хотя по части удобрений все было в порядке со стороны собак и прочих крупных животных, не полностью контролирующих физиологические акты своего кишечника...

В глубине души каждый пьяный — патриот и любитель Пушкина. Потому что сбегали за метлой, подмели песчаный газон, в центре утоптали ногами площадку, поставили поровнее гранитный параллелепипед и, кряхтя из всех мест, подняли и установили бюст на предназначенное ему место.



11*

Полюбовались, поправили, заботливо протерли от пылинок, и пошли спрыснуть это дело. До дня рождения Александр Сергеича оставалось еще тридцать дней, это тоже дата, а уже все в порядке.

Внимания на это событие никто не обратил. Кого удивишь в России памятником Пушкину. Да хоть бы и памятником кому бы то ни было. Да хоть бы и не памятником. Времена пошли интересные, сейчас вообще никого ничем не удивишь. Если б они на тот постамент поставили живого Жириновского, произносящего речь о раздаче водки каждому, кто примет участие в экзекуции над коммунистами – это бы еще имело хоть какой-то шанс собрать любопытных, а так... стоит Пушкин – ну и ладно. Кому ж и стоять, как не Пушкину.

Но в день юбилея было намечено провести торжественное открытие нового памятника. Естественно: а иначе на хрена его и ставить. Памятник с ночи накрыли новой простынкой, пришив к

середине тесемку, чтоб можно было красиво сдернуть. Принесли несколько горшков с цветами. Поскольку разбежавшихся на каникулы школьников собрать невозможно, привели из ближнего детского сада нарядно одетых детишек. Из районной газеты пришли журналист и фотограф, с районного радио – девочка с магнитофоном. Десяток любопытных собрался. Скульптор чистую рубашку надел. Дама из управления культуры три гвоздики в руках держит – чтоб возложить после открытия. Все чин чинарем.

В половине двенадцатого приехал на черной «ауди» мэр города господин Корнейчук, бывший боксер и челнок, следом – луноход, менты расчистили посреди маленькой толпы место для мэра, и он объявил торжественный митинг, посвященный открытию памятника, посвященного двухсотлетию великого русского поэта Александра Сергеевича Пушкина, открытым. Все поаплодировали и утерли пот: уже солнце припекало.

Мэр сказал, что всем лучшим в себе мы все обязаны Пушкину, и теперь отдаем ему дань. Быстро глянул на крыши и добавил: «И никакому Дантесу не удастся убить наше солнце!» После чего скромно отошел к машине, и холуй налил ему кока-колы.

Дама из управления культуры, жестикулируя своими тремя гвоздиками, сказала о славных культурных традициях древнего русского города Козельска. А директор единственной в городе платной гимназии сказал, что без Пушкина нет ни русской культуры, ни культурного человека, которыми мы все должны быть, и, кстати, только наша гимназия готовит самых культурных в городе людей, которые не уступят в культуре москвичам и петербуржцам. В завершение детсадовцы исполнили литературную композицию, прочтя по строчке поочередно и радостно: «Я памятник себе воздвиг нерукотворный!»

Нормальная скука, хотя и недолгая. Радиодевица пихала всем под нос свой микрофон, газетчик – диктофон, фото-

граф приседал, забегал и щелкал камерой. Все как у больших.

После чего культурдама включила магнитофон с увертюрой к «Пиковой даме», а мэр отошел от машины, приблизился к зачехленному памятнику, продолжительно улыбнулся в фотокамеру и дернул за веревочку.

Все бурно зааплодировали. Простынка сползла с бюста на горшки с геранью. Аплодисменты несильно взорвались и как-то вразнобой осеклись. Вот ладони начали сближаться для хлопка — и вдруг перестали сближаться, а стали опускаться. А у некоторых — подниматься. Директор гимназии прижал их к животу, а культурдама выронила гвоздики и прижала ладони к щекам, смазывая защитный крем и макияж. Капитан городской милиции сложил руки на гениталиях скорее рефлекторным жестом футболиста перед штрафным, нежели как фюрер, и выгнул спину. И только детсадовцы еще поплескали в ладошки и нестройно закричали «ура», но с детской интуицией ощутили непо-

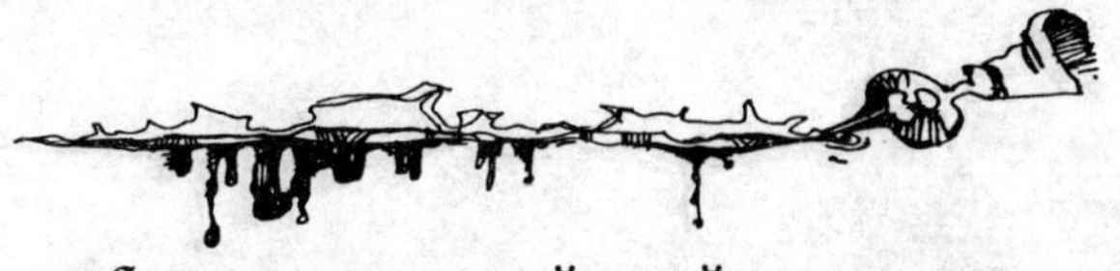

требство своих действий и виновато стихли.

Мэр позировал перед памятником, как именинник перед пирогом. Непонимающе вперился он в лица, черты которых застыли в асимметричном беспорядке. Образовался стоп-кадр с открытыми ртами, словно хору обрезало фонограмму. Все мы не красавцы, но удивление как-то уж очень быстро стирает грань между богоподобным обликом человека и мороженой щукой. Мэр нырнул и оглянулся через плечо. И тогда все увидели и даже услышали, как у него сама собой опустилась молния на брюках.

На постаменте лоснился свежий чугунный бюст, и изображал тот бюст юного нордического красавца в локонах, на плечах которого вспушились разлапистые эполеты. Даже самый продвинутый фанат Пушкина не сумел бы усмотреть здесь и отдаленное сходство с поэтом. Но при этом не походил он и на Лермонтова, Некрасова, Пржевальского и Маркса.

В поисках разгадки заинтригованные участники действа вспомнили о своей грамотности, с усилием перевели глаза с бюста на постамент и бросились читать и перечитывать надпись, вразумительно оповещающую:

Поручик
ЖОРЖ ДАНТЕС
1812–1895

Если ошеломить означает наполовину победить, то победа была полной. Зрелище настолько отшибало мозги, что в поисках реальности и логики всем даже показалось на миг, будто так и должно быть, и по какой-то причине, которую все просто упустили из виду, они и собрались здесь на открытие памятника именно Дантесу.

Отдав дань кошмара нетривиальному памятнику, перенеслись дикими взорами и помраченными умами на автора творения. Тут уже руки на подбрюшье сложил мэр, а капитан милиции, напротив, переложил руки на кобуру. В этом средоточии внимания скульптор

необыкновенно замедленно, впившись в Дантеса, поднял кулаки на уровень ушей подобно бандерильеру, мечущему стрелы в быка, рывками вобрал воздух и выпустил взмывшую фистулу:

— Убью-ю-ю-ю!!!

Это выглядело так, словно он не может перенести вида убийцы Пушкина и сжигаем праведной местью. Реакция достойная патриота, но никак не объясняющая феномена живучести Дантеса и появления его здесь вместо убитого им поэта. Если бы это был не Дантес, а Ленин, все бы решили, что скульптор в белой горячке или же просто по привычке изваял того, кого ему заказывали всю жизнь. Но Дантеса, черт побери, никто же и никогда не лепил!..

За спиной скульптора и на приличествующем отдалении стояла группа его приятелей-ханыг, и они также выглядели скандализованными трансформацией памятника, который собственноручно устанавливали. Учитывая торжественность повода и время дня, они уже безусловно находились в пристойном

градусе. Поэтому никакого злого или циничного умысла не было у того, кто первым обрел дар речи и с благородным возмущением пробубнил, имея в виду интонацией древнего анекдота осудить происходящее:

— Идут, понимаешь, по площади два снайпера... мля! и один говорит: — Слушай, не пойму я — почему памятник Пушкину? Ведь Дантес попал! Ну?!.

И тут напряжение лопнуло истерическим гоготом, непроизвольным и неудержимым. Визгливо хохотала культурдама со смазанным лицом, трубно ржал капитан, глюкал и хрюкал директор гимназии и раскатисто грохотал мэр, все приседали, тыкали пальцами, держались за животы, топали ногами, хлюпали, икали, стонали и падали. Детишки, разделяя общее настроение, заливисто подсмеивались и прыгали на месте. Радиожурналистка в джинсах сжимала коленки и отползала в задние ряды — с ней произошла маленькая авария. Ханыги в паузы хохота вставляли от полноты чувств народные междоме-

тия, звучавшие так любовно и уместно, что никого не шокировали.

И среди этой вакханалии судорог, колик и спазм бесчинствующих любителей отечественной словесности один только скульптор хранил каменную скорбь. Он раскачивался и утирал пот. И губы его беззвучно шептали традиционные слова, где самое приличное – «суки».

Скандал вышел страшенный. Первым опомнился фотограф: бешено защелкал камерой и удрал раньше, чем успели схватить: продавать уникальные снимки куда можно. Кара настигла папараццо вдогонку: мэр тут же проорал фотографа из газеты уволить.

Вторым привел себя в чувство этим криком сам мэр. Он продемонстрировал скульптору профессионально сложенный кулак с набитыми костяшками, пнул цветочный горшок в колено директору гимназии, кивнул капитану на памятник и хлопнул дверцей машины, отбыл прочь.

Капитан отрывисто приказал грузить бюст в луноход. Туда же втолкну-

ли скульптора и увезли обоих государственных преступников в ментовку. Зрители сопроводили это комментариями в том духе, что наконец-то Дантеса постигнет справедливое возмездие. Это тебе не либеральный царизм, жаль что только бюст, почки отбить не удастся.

Вторым рейсом в ментовку доставили и постамент, привели вещдок в комплектное состояние. Раймилиция бросила изображать работу и сбежалась смотреть. Им в лицах пересказали событие, все долго и счастливо хохотали, а отсмеявшись взялись за скульптора. Треснули пару раз для большей вразумительности и начали снимать показания.

Скульптор побои принял с пониманием, почти поблагодарил за сдержанность, и изъявил полную готовность чистосердечно и бескорыстно помочь следствию всем, чем может.

— Вам известно, как этот бюст оказался на месте, предназначенном для Пушкина?

— Нет! Клянусь — нет! Неизвестно!

— Так. А где же Пушкин?

— Не знаю! Я сам его устанавливал! Не знаю!

— Что же он — пешком ушел? Так у него ног нет, это бюст. Или его опять в ссылку отправили? Или не понравилось ему у нас? — пошутил капитан, который вел допрос лично: ему было любопытно.

— Клянусь — ставил! Не знаю!

— Хорошо. Так и запишем. А вы вообще кого делали?

— Я делал. Я делал Пушкина. Есть свидетели. Комиссия принимала.

— Это мы проверим. А кто же сделал Дантеса? Это — Дантес? — спросил для верности капитан, не знакомый, как и большинство людей, с внешним обликом знаменитого убийцы-кавалергарда.

— Возможно, — неохотно ответил скульптор.

— Что значит — возможно? А кто ж это — маршал Жуков? Надпись соответствует? — соответствует! Ты давай не юли! Так и запишем: «Бюст, идентифи-

цированный согласно надписи... как поручик... Жорж Дантес...» Так... Вам известно, кто его сделал?

— Известно...

— Ага. Уже хорошо. Назовите фамилию.

— Да чего там...

— Точнее.

— Я...

— Что — «я»?

— Изваял...

— Кого изваял?

— Дантеса.

— Кто?

— Я.

— Вы?!

— Я...

— Дантеса!?

— Но и Пушкина тоже!

— Зачем???!!!

— Пушкина? К юбилею.

— Дантеса!!!

— Ну, так вышло...

— Как вышло?! Тоже к юбилею?!

— Ну... получается да.

— Зачем???!!!

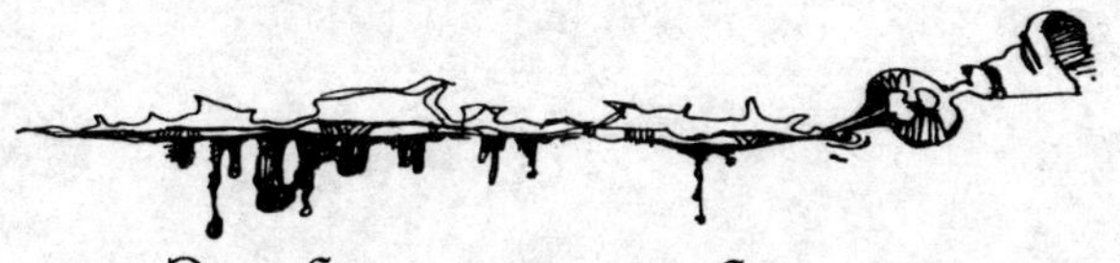

— Это была моя ошибка... — поник скульптор повинно.

— Что значит «ошибка»?! Как можно так ошибиться, чтобы к юбилею Пушкина сделать памятник Дантесу?! Вы что, не любите Пушкина?!

— Я люблю Пушкина! — горячо опроверг скульптор.

— Вы, может, не русский?..

— Русский, — после крошечной паузы с достоинством ответил скульптор.

— Вы вообще Пушкина от Дантеса отличить можете?!

— Вообще — да.

— Это вот кто?!

— Видимо, Дантес.

— Что значит «видимо»! А где Пушкин?!

— Наверно, у цыган.

— Каких цыган?..

— Кочующих. — Скульптор устал и озлобился.

— Где?

— По Бессарабии. Шумною толпой.

— Не понял. Что делает Пушкин у цыган?

— Шампанское пьет.

Ему было необходимо опохмелиться.

— Я за ним следить не приставлен,— сказал он.— Не жандарм, слава Богу. Вы милиция — вот вы и ищите, где Пушкин.

Капитан применил легкую степень физического воздействия — привстал и через стол дал ему в ухо.

— Говори толком,— рявкнул он,— ты все-таки кого больше лепил — Пушкина или Дантеса?

— Больше я лепил Ленина.

— А как же вышел Дантес? Фамильное сходство?

Скульптор пожал плечами.

— М-да. Талант. Да я б тебе даже Троцкого не доверил лепить!

— Тебя об этом Троцкий сам просил? — поинтересовался скульптор и для симметрии получил в правое ухо.— И хватит руки распускать... Майк Тайсон! Ты еще ухо мне откуси! Каннибал!

— Кто каннибал? — зловеще спросил капитан.

— А кто меня хотел заставить Троцкого лепить?

– При чем тут Троцкий?..

– А при чем тут каннибал?

Капитан помолчал и спросил проницательно и мирно:

– Тебе что, опохмелиться надо?

– Ну. А то нет.

– Так бы и сказал. – Он вышел и вернулся со стаканом, где было граммов сто пятьдесят.

– А закусить?

– Занюхаешь, – хмыкнул капитан и подержал у него под носом кулак.– И давай сотрудничать со следствием, хватит коту бейцы крутить. На, закуривай. Итак. К юбилею Пушкина ты больше лепил Ленина, но на этот раз получился Дантес. Кто здесь дурак – ты или я?

– Вам виднее.

– Под дурдом косишь? Излагай по порядку, не своди органы с ума.

По порядку оказалось следующее.

Опохмелившийся скульптор частично восстановил свои умственные способности, травмированные происшедшим, и сделал заявление: прежде всего он хочет представить оправдательный доку-

мент. Заинтригованный капитан отправил на квартиру скульптора сержанта с ключами и инструкциями. Был доставлен красивый бланк с французским флагом, французским же, вероятно, текстом и печатью. Внизу красовалась размашистая подпись.

– Это что?

– Это благодарность Министерства культуры Франции.

– Кому?

– Мне.

– За что?

– За Дантеса.

– Что-о?.. Читай!

– Я не знаю французского.

Капитан шумно вышел и подержал голову под холодным краном. Потом он выпил стопарь, понюхал нашатырь из аптечки и вернулся почти в здравом рассудке.

Французский знали два человека в городе: референт мэра и учительница французского из платной гимназии. Учительницу привезли. Она стала читать, вытаращила глаза, ахнула и засмеялась.

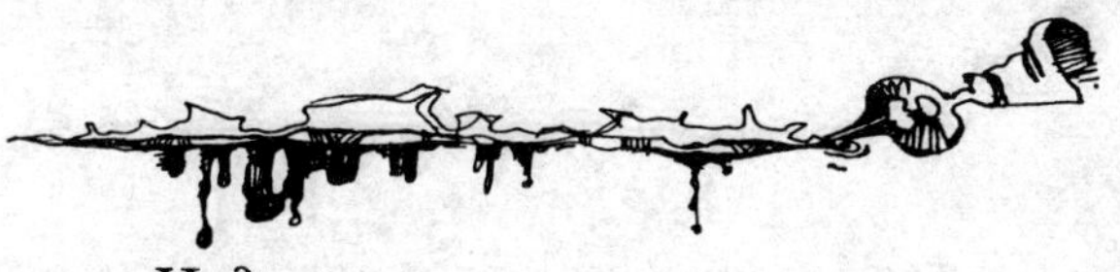

— Ну?

— Здесь есть ошибки.

— Ничего себе министерство культуры!

— Это не министерство культуры.

— А что же это?! — дуэтом спели жертва и палач.

— Читать как есть?

— Переводи!

— На бланке написано: «Министерство самых глупых художников за границами Франции».

— Блядь... — сказал скульптор. — Простите, пожалуйста, это не вам.

— Дальше переводить? «Мы искренне благодарим этого дурака за его работу. Для небольшие деньги он может делать памятник даже про козел. Но эта работа помогает для торжество справедливость. Просьба для власть не наказывать его строго. Подпись: помощник старший ассенизатор Жорж Клемансо».

— Так, — сказал капитан. — Да. Это документик. Ничего не скажешь. По существу. Впечатляет.

– Ну, блядь, – сказал скульптор. – Простите, пожалуйста, это не вам.

– Так. Гм. А на печати что?

– А на печати: «Пролетарии всех стран, соединяйтесь».

– Соединились на нашу голову. И что вы можете про это сказать?

– Я? Про это? Что Клемансо давно умер.

– Ценная информация. Ну ничего... Мы этих... помощников старших ассенизаторов... еще вые... найдем!!

Учительницу прогнали пешком. Скульптора трижды треснули по башке телефонной книгой и вытянули наконец раз дубинкой по почкам. И капитан лишний раз утвердился во мнении, что подобные процедуры надо проводить сразу, без ложного гуманизма. Потому что скульптор резко перестал острить, и из него тут же вылетела нужная информация. А именно:

Через несколько дней после того, как бюст Пушкина был преждевременно поставлен на полагающееся ему место, к скульптору в гости пришла юная пара

приличного вида. Лет по двадцать, а точнее кто их разберет. Они спросили, может ли он принять заказ на срочное изготовление чугунного бюста, и даже достали бумажку с размерами. Скульптор объяснил, что он сейчас без мастерской, так что трудно, но вообще можно воспользоваться мастерской знакомого. Парочка намек поняла, и парень сказал, что готов сразу дать пятьдесят долларов аванса. Сошлись на ста, учитывая цену глины, литья, квалификацию скульптора и общую трудность жизни. После чего девушка вынула из сумочки два сложенных листка – один старой и желтой бумаги, а другой – свежую компьютерную распечатку. На обоих были гравюрные портреты в стиле девятнадцатого века, изображающие юного красавца в мундире с эполетами. На старом листке, вырезанном явно из книги, портрет был маленький и в три четверти, а на новом – крупно, анфас, и не очень четко. Подписей под ними не было.

Парень сказал, что это его дальний предок, дворянин и русский офицер.

И теперь он, восстановив свою родословную, хочет поставить ему памятник. Деньги есть, но лишний блеск ни к чему, нужен хороший вкус.

Польщенный и обрадованный заказом скульптор ничего странного здесь не усмотрел. На парне были дорогие часы, дорогие кроссовки, цепь на шее, но на бандюка он похож не был, а скорее юный бизнесмен или сын нового русского. Сейчас модно искать аристократический корень своего генеалогического древа. Тем более, он сказал, что предок был французского происхождения.

Скульптор взял стольник, отметил эту удачу и новый рост своей славы, и приступил к исполнению. В мастерской приятеля, коли уж речь зашла, тоже пропадало несколько старых заготовок Ленина. Он выбрал нужный размер и одного довел до кондиции заданного портрета.

Принимать бюст заказчики пришли уже впятером, но он не придал этому значения. Глиняный оригинал понравился и был одобрен. Договорились, что

через три дня художник сгрузит уже чугунный здесь же, у мастерской, а те будут ждать и заберут сами; тогда же и полный расчет.

Так и произошло. В тот день шел дождь, и компания ждала его у подъезда, не вылезая из вишневой «Нивы». Бюст перегрузили из попутного грузовика, подряженного художником на заводе в облцентре, в их «Ниву», заметно просевшую на рессорах. Скульптору честно отдали второй стольник. А кроме того, парень торжественно сказал, что у него есть для скульптора награда. Они зашли в мастерскую, выпили за память предка, и под аплодисменты друзей заказчик вручил скульптору этот красочный бланк. Он сказал, что его предок был во французской истории не последним человеком, а Франция очень щепетильна по части своего исторического наследия, и когда он сообщил своим недавно найденным, очень далеким, но родственникам в Париже о том, что ставит их общему предку памятник, те страшно прониклись, написали в газете

и получили для автора памятника благодарность Министерства культуры Франции – там это вполне принято: пустяк, но все-таки дорогое внимание.

А где похоронен-то предок? Да не так далеко. А фамилия-то как? Парень сказал: не то Нерегек, не то Мерегек. А твоя-то как? А вот не суйся, отец, не в свои дела, сказала на это компания. С тем и укатили. И больше их скульптор не видел.

А увидев сегодня этот бюст, он был потрясен до помрачения рассудка. Тем более такая надпись! Клянется – не подозревал!

Номера вишневой «Нивы» он, разумеется, не запомнил. Но внешность юной парочки описал с профессиональной детальностью. Парень был ростом около ста восьмидесяти, атлетического сложения, скуластый, светлый, стриженый под ежик, с круглым подбородком и прямым сжатым ртом, глаза серые, уши маленькие. Девушка же невысокая, фигура очень хорошая, прямо идеальная, классическая фигура и идиотски со-

жженные «кислотные» волосы – не то чтобы вовсе панк, но с отчетливым оранжево-фиолетовым переходом, а лицо продолговато-стандартное, чуть припухлое, носик вздернут, верхняя губка короткая, общее выражение чувственное и даже готовное, очень сексапильная девушка.

По этим характеристикам наблюдательного скульптора составили фотороботы и раздали нарядам. Так что когда позвонили из канцелярии мэра и поинтересовались успехами, капитан отрапортовал, что преступники установлены, осталось только идентифицировать. Это как?.. Это так, что мы уже знаем, какие они, осталось только узнать кто. Идиоты... ройте быстрей! Так точно.

Пока идиоты рыли, капитан пролистал свежую прессу, полную юбилейных статей, и отчеркнул абзацы про Дантеса.

– Как, говоришь, они тебе назвали фамилию якобы предка?

– Ну, типа Нерекек... – услужливо наморщился скульптор. – Или Кере-

нег... что-то такое от нарцисса с керогазом.

Капитан обвел ручкой в газете:

– А может, Нереккег?

– Может... очень похоже.

– Что ж ты такой тупой. Кроссвордов не решаешь? Барона Геккерена не узнал... лох! А еще Ленина лепил, а?..

Скульптор схватил газету и мучительно замычал.

В назидание эстетам надо отметить, что пока искусство мычало, милиция работала. И что вы думаете? – нашла!

Их взяли в девять вечера у дискотеки «Артемон». Повязали как миленьких и привезли в ментовну.

Сначала они фордыбачили. Пришлось немного вразумить. Показали Дантеса. Показали скульптора. Провели очную ставку: они! Показали дубинку.

Посмотрев на дубинку, парень ухмыльнулся и сказал:

– Ну, как хотите. Пишите: фамилия, имя, отчество.

И, сделав таким образом шаг навстречу следствию, немедленно оказался сыном мэра.

Следствие попятилось. Милиция не любит попадать в яму, которую по долгу службы роет другим. На Дантеса, в конце концов, глубоко плевать, да и Пушкин, хоть и национальный гений, все-таки не отец родной, а мэр – это мэр. Говорят: Пушкин – это наше все. Это преувеличение. Не совсем все. Наше все – это местные власти. Платит тебе не Пушкин, и неприятностей нужно ждать не от него.

Капитан позвонил мэру с почтительностью массажиста. Мол, глубоко деликатный вопрос, тут ваша семья может быть затронута, не почтите ли присутствием.

Мэр прибыл на разборку, вник в вопрос и в ярости явил такую крутизну чувств и посулов, что случись это в тринадцатом веке – быть бы татаро-монгольским полчищам заваленными и разогнанными. Юпитер, мечущий громы и молнии, рядом с ним показался бы голубем мира, пьющим бром.

Когда барабанные перепонки отказались выполнять свои функциональные обязанности, а мозги подали заявление о переходе на другую работу, мэр сказал, что займется делом лично.

И в результате его личных занятий выяснилась история, вполне характеризующая натуру козельцов по-своему не менее ярко, чем его древняя героическая оборона и убийство послов.

Милые детишки учились в той самой аристократической платной гуманитарной гимназии, директор которой столь прочувственно говорил о культуре и ее наглядном наследии. Там собрались лучшие учителя города, и им платили зарплату, достаточную для того, чтобы молодая и незамужняя учительница литературы, окончившая Петербургский университет и теперь подыхающая в этой глуши от скуки, малокультурья населения, а главное — от отсутствия регулярной личной жизни, возымела, явно в порядке сублимации, высокопедагогическую глупость устроить с десятиклассниками диспут на тему, должен ли был

Пушкин рисковать своей жизнью, драгоценной и бесценной для литературы и потомков, дабы следовать идиотскому светскому предрассудку и идти на дуэль с каким-то недоноском. Она, конечно, гнула к тому, что стреляться было недопустимо, что Пушкин принадлежал не себе, а истории и стране, и должен был стать выше этой мерзкой интриги.

Вполне естественно, что школьники высказывали и другие мнения. Что Дантеса можно было просто заказать. Что можно было обратиться в частное сыскное бюро, и его скомпрометировали бы так, что изгнали не только из славных рядов кавалергардов, но вообще линчевали бы. Что Пушкину следовало как минимум брать уроки стрельбы и стрелять только из знакомого пистолета.

И тут учительница сделала промашечку. Она раскрыла какую-то книгу с портретом Дантеса и пустила по рядам. И когда школьники увидели мужественного юного красавца, и сопоставили с репутацией Натальи Николаевны как блестящей красавицы, и сравнили с по-

ртретом Пушкина на стене кабинета литературы, где и дискутировали, они както задумались. Ибо Пушкин на портрете красавцем не выглядел, и таковым никогда не числился.

Девочки сказали, что ревность в мужчине отвратительна, это чувство собственника, и даже странно, что Пушкин мог быть таков.

Мальчики же заявили, что, несмотря на внешность, если серьезный человек берет телку замуж, то ее дело – лизать его без остановки, и следовало просто спихнуть ее на лестнице так, чтобы она свернула себе шею, и дело с концом. Нет, а Дантеса, конечно, заказать. Пушкин ее взял из глуши, поднял, содержал в роскоши, так она еще хвостом вертела.

Тут учительница возразила, что Пушкин был вечно в долгах, жизнь дорогая, жена мотовка, денег всегда нехватка, дело не в уровне жизни, а в вещах более глубоких.

Класс серьезно задумался. Если Пушкин был стар, лысоват и беден, то на

что он рассчитывал, женясь на красавице? А Дантес – крутой: лейб-гвардеец, стрелок, здоровый, связи в дипломатических кругах. Так он ее, простите, Светлана Олеговна, трахал или нет? Уж чтобы для ясности.

Учительница пошла пятнами и закричала, что это ужасный цинизм, ничего не было, просто было компрометирующее поведение. Это как? Ну... глазки строил, визиты делал.

И за это – вызывать на дуэль? Хм, а что же тогда Дантесу оставалось делать?.. В конце концов, он же не виноват, что баба понравилась. Что же, вообще подойти нельзя? Его бы за отказ от дуэли тоже, наверно, все запрезирали. Нет, Пушкин, похоже, был не совсем прав. Явно погорячился. Что их, развести не могли?

Девочки начинают задавать вопросы, а как был сам Пушкин насчет верности жене? Нет, все мужчины, конечно, одинаковы, но все-таки Пушкин – может быть, он-то был верным мужем? Учительница начинает сбиваться и путаться,

что не в этом дело, дело тут не в верности, а в чести. Бросьте крутить, Светлана Олеговна, ходок был Пушкин, да?

Девочки, как у вас язык поворачивается! Вы понимаете, что речь о великом гении русской поэзии! Ясно, говорят девочки, ему можно, ей нельзя: это мы проходили. А ей, значит, и не пофлиртовать с красивым мужчиной. Кстати, у нее дети были? Сколько?! Четверо, а всего шестеро?! Ничего себе!.. Мать-героиня... бедная. А это правда, что она еще не всех доносила? А сколько лет было? Двадцать пять?! Это она уже столько детей родила, и вот, под конец молодости... так что ж, если ей захотелось от этой жизни хоть трахнуться на стороне, так муж уже с волыной по стриту забегал? «Вот скотина...» — отчетливо произнес кто-то, и учительнице почти стало дурно. Самое ужасное, что ей тоже было двадцать пять лет, и она представила себя в положении Натальи Николаевны, и представила Дантеса, и осудила ее еще раз в душе страшно, но чувства совершенно же разделила.



12*

А мальчики интересуются дальнейшей судьбой Дантеса, и выясняют, что женился он вообще на сестре Пушкинской жены, и уволили его из рядов вооруженных сил без пенсии, и вынужден он был свалить за бугор и, можно сказать, провел жизнь почти в бегах и бедности. И находят это несправедливым, потому что разборка была честной, а предъяву Пушкин сделал не по понятиям.

И все начинают жалеть Дантеса, потому что это что же – все против него, от грязи не отмыться, а в чем он, собственно, виноват?

Все это, заметьте, те самые дети тех самых полукриминальных воротил районного масштаба, хапнувших кусок в период дикого накопления начального капитала, которые дети, по уверениям и прогнозам либеральных культуртрегеров, должны стать образованными, моральными, меценатами, чистыми душой от грязных денег отцов. Третьяковы, Щукины, Саввы Морозовы. Мол, всегда так бывает. Трудно сказать, как бывает

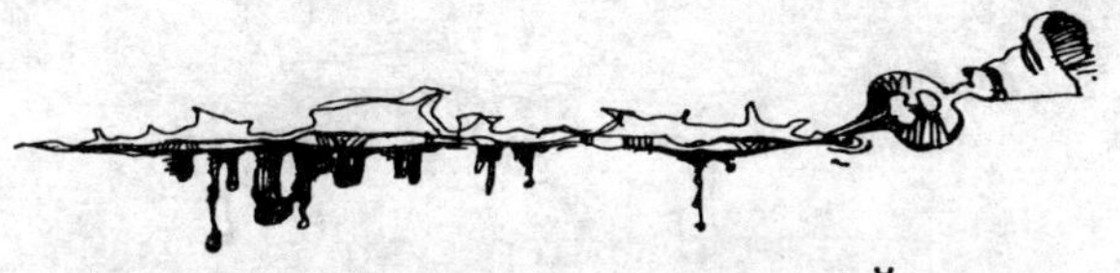

всегда, но что деньги родителей придают детям самостоятельности отношения даже к устоявшимся фактам истории – это точно.

Потому что класс стал резко хуже относиться к Пушкину. Юношеский негативизм, что вы хотите.

Возможно, главная причина тут в том, что в душе они стихов Пушкина не любили. Может, не доросли. Школьники вообще не любят того, что изучают по обязательной программе. Предпочитали они из поэтов Гребенщикова и Иртеньева, а из прозаиков – Бушкова и Дашкову. И теперь они не только друг другу стали признаваться, что от «Капитанской дочки» их тошнит и читать скучно, а «Дубровского» так просто невозможно, язык сломаешь и вообще никак, – они в этом учительнице признаваться стали.

Там был в классе очкастый один сомнительной внешности, так этот несчастной учительнице просто печенку выел.

– С чего бы это, – спрашивает, – русалка на ветвях сидит? И как она со

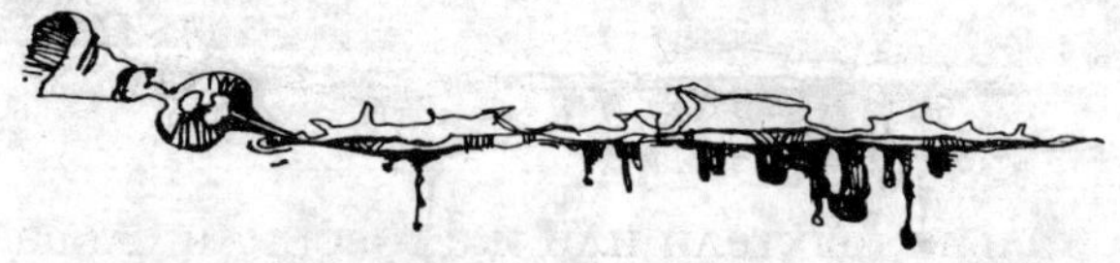

своим рыбьим хвостом на дерево забралась, и с какой целью?

Над этим моментом учительница никогда не задумывалась. Ну, мифологический образ. А класс ржет обидно и нагло. Ну негде им прочесть, что древнерусская русалка — полуптица, а не полурыба, это как-то обычно мимо комментариев к тексту проскакивает.

А телевизор каждый день долбит, сколько дней осталось до дня рождения Александр Сергеича, и как весь народ его читает — от дошколят и бомжей до банкиров и политиков. И если раньше класс при этих кадрах слегка терзался своей низкой культурой и непониманием классической поэзии, то теперь приходит в дикое раздражение и считает это все фальшью и враньем. Поспорили с учительницей: стали подряд останавливать перед гимназией на улице людей и предлагать процитировать четыре строчки Пушкина. Примерно треть говорила: «Мой дядя самых честных правил». Из этой трети еще половина помнила чудное мгновенье. Прочие стесни-

тельно пыхтели или же говорили слова, отсылающие реже к Пушкину, а чаще гораздо дальше.

Из чего класс сделал вывод, что любовь народная – такое же вранье, как политика, налоги и здоровье алкоголика-президента. И прав был Пушкин – нечем тут дорожить.

Эта война дошла до директора, и он натянул учительницу по самые помидоры. Простите, ради Бога, грубую непристойность вполне устойчивой идиомы, не включенной в литературную норму, но исправно входящую в активный лексическо-грамматический запас большинства населения. Это школьники так и выразились, когда любимая учительница вышла из директорского кабинета пунцовая и вела урок с истерическими нотами: «Натянул дир наш Светлану Олеговну по самые помидоры».

Учительница в ультимативной форме заявила, что Пушкин – гений, а они – кретины и сволочи!.. На дворе стоял конец марта, и у нее был сексуальный невроз. Она была сочная брю-

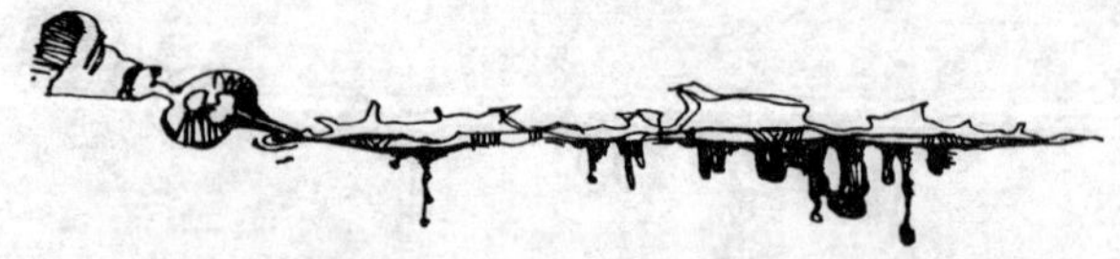

нетка с огненными глазами, а мужика у нее не было, поэтому были головокружения, ночная потливость и эротические сновидения. Вот она и дергалась. И если она думала, что семнадцатилетние школьники все это не понимают — она это зря думала, потому что школьники все видят, и даже в одиннадцать лет такие вещи понимают прекрасно и называют своими именами. Но уж эти имена мы здесь приводить не будем, это чересчур. Хотя эти слова тоже все знают.

Что все знают — плевать, вот что Пушкин их знал — это открытие класс поразило. Они подозревали это, но подозревать — одно, а убедиться — другое. Это опять гнусный очкарик устроил.

Он полез в Интернет и нарыл, падла недозрелая, в самой полной в мире бибилотеке американского конгресса дополнительный том к самому полному собранию сочинений Пушкина, вышедший в Берлине в одна тысяча девятьсот двадцать девятом году. И в известном письме, написанном из Михайловского в тот

же самый день, когда и стихи «Я помню чудное мгновенье», со злобным и радостным изумлением прочел то, что знатоки и так всегда знали, ну, это самое: «Вчера ко мне приезжала Анна Керн, и с Божьей помощью я ее .....л.»

Очкарик, переживающий трудности пубертатного периода, был ошеломлен, потрясен и так далее. Когда потрясение прошло, он отпринтовал текст и назавтра приволок его в свою платную гуманитарную гимназию.

Но сам прочесть не решился. И дал сыну мэра, которому, естественно, все было по фигу. И тот на уроке литературы встал и спрашивает:

– Светлана Олеговна, вот тут у нас есть письмо Пушкина. Можно прочесть?

Учительница все-таки кончала петербургский филфак и сразу почувствовала, чем тут дело пахнет и в каком духе это письмо. Именно это письмо она тоже знала, только в пересказе. Поэтому читать категорически запретила, и скверный недоросль огласил текст без

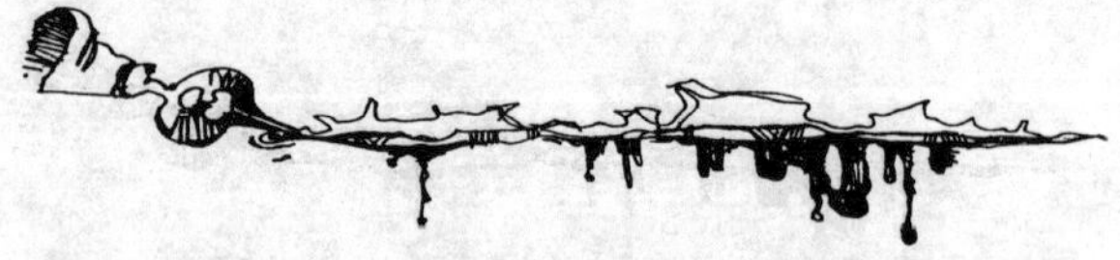

разрешения, под ее негодующие и протестующие вопли.

– Ну? – спросил он. – И вот это, значит, как вы на прошлом уроке читали нам у Белинского, тот самый русский человек в своем развитии, которого достигнет только через двести лет? Так как раз двести лет прошло. Достиг! И вот мы здесь! Мы вам нравимся?

От этой наглости и от своего бессилия учительница зарыдала. Класс, надо отдать ему должное, стал ее утешать и просить не принимать близко к сердцу пошлость всяких писем и связей, даже у великих поэтов. Но рыдала она долго.

Они ее подломили этим письмом. Она очень гордилась своей миссией: приобщать детей в глуши к великим вершинам бессмертной русской литературы. А ее – вот так... Она чувствовала себя лидером и проводником культурного прогресса, и вот ее лидерство немного лопнуло. И впору было увольняться, но больше нигде в городе нельзя было учи-

телю литературы рассчитывать на зарплату.

И тогда она заключила с классом диковатый, хотя и внешне прекрасный договор: они будут хорошо готовиться к урокам, а в конце каждого урока честно отводим шесть минут для Пушкина: три им, и три ей. И через короткое время она им покажет, какой великий поэт был Пушкин, какой блестящий человек, и они все поймут, осознают и повзрослеют.

Так началась эта окопная схватка на Олимпе, эта битва земного и небесного начал за душу поэта.

На первый же урок литературы сын мэра пришел демонстративно поддатый. Не сильно, но с запахом. И в ответ на замечание заявил:

— Да, Светлана Олеговна, пил. Причем полночи. С двумя лейтенантами в офицерском общежитии — знаете, на Благовещенской? А теперь скажите: почему это плохо, если лицеист Пушкин пил по ночам с офицерами тоже, и это было хорошо?

— Это были гусары!.. боевые офицеры, они вернулись после победы над Наполеоном из Франции, принесли высокие идеи Французской революции! Они читали стихи!.. Там был Чаадаев, трагический философ!..

Но получила крепкую домашнюю заготовку:

— А это мотострелки, тоже боевые офицеры, они вернулись из Чечни. И мы пели Высоцкого! Что ж, если они не победили, а Чаадаев давно умер — то пить нехорошо? А с гусарами ром трескать — это, значит, хорошо?

— Они пили шампанское!

— У них зарплаты были другие. А лейтенантам полгода не платят, водку я покупал. Объясните: почему когда пьет Пушкин — это хорошо, а когда пью я — это плохо?

— Потому что пьяниц много, а Пушкин один, балда вы, простите меня, пожалуйста!

— Да пусть он Пушкин, я не спорю, но чего хорошего, что он пил?! Это что — пример для подрастающего поко-

ления? Из двух одно: или пить плохо всем, или хорошо всем! Нечего идеализировать!

Потом они вцепились в то, что Пушкин был лодырь и имел массу двоек.

– Когда у нас кто чего не выучил, так сплошные выговора, а как Пушкин лодырь – так это милая шалость. Вы не находите, что это несправедливо, Светлана Олеговна? Это необъективное, предвзятое отношение! Что он ни сделай – все хорошо! Пьет – мило, лодырничает – мило. И это, значит, образец для всех нас?

Ночью бедная учительница имела виденье, неподвластное уму. Она сидела на ветви, нагая, и это было естественно и легко, иногда она даже парила над этой ветвью. Грудь у нее была удивительно упругая и красивая, и она радостно открыла, что не замечала этого раньше. Огорчало только, что вместо ног теперь рыбий хвост, но хвост выглядел совершенно как ее ноги, и, убедившись в этом, она перестала беспокоиться. Розовато-сиреневое пространство было ее

свадьбой, и это пространство представляло собой учительский стол, на котором стояла бутылка водки. А по двум сторонам стола сидели Пушкин и Дантес и играли на нее (нее ли?) в карты. Пушкин был в черном сюртуке, а Дантес в белом мундире, и она отметила, что сознательно сравнивает их с добрым чертом и злым ангелом, и постеснялась литературности этого сравнения. Карты воздушно трещали, как лопасти вентилятора, но сделалось понятно, что это поет соловей. Они уже выиграли ее оба, но она оттягивала конец игры: ее ужасала преступность блаженства, которое за этим следовало. Но никаких дикостей шведской тройки, к счастью и облегчению, не оказалось: ветка, на которой она давно сидела, на самом деле была огромным фаллосом, потому и сиделось на ней так легко и приятно, наслаждение стало нестерпимым, и это и были Пушкин и Дантес одновременно, и перед тем, как закричать, она успела подумать, что теперь ее обязательно выгонят из школы.

Она проснулась в горячем поту, со слезами на глазах, рывком села в постели. Несколько раз порывисто вздохнула, потрясла головой и пошла под холодный душ. «Бром пить надо», – сказала она зеркалу, засмеялась, постелила свежую простыню и плюхнулась досыпать в чудесном настроении.

В классах, где учатся дети мэров, редко случаются проблемы с деньгами на экскурсии, и на весенние каникулы учительница вывезла группу хулителей поэта в Петербург. Кстати о хулителях. Сам факт их наличия по идее свидетельствует, что Пушкин все-таки кое-чего стоил, если два века спустя он мог вызвать такие страсти у юных людей, которым и своих проблем хватает выше крыши. Это она сказала им в самолете, и они вынуждены были с ней согласиться. Хотя есть и другое объяснение, характера более общего: скажи молодому «стрижено» – и он ответит «брито», то есть плевать с чем не соглашаться, главное – отрицать ценности старшего поколения. Вечные проблемы отцов и детей.

Впрочем, о юношеском негативизме мы уже упоминали.

Главной целью учительницы было отвести их в музей-квартиру Пушкина на Мойке, где один ее однокашник работал младшим научным сотрудником. И вот с этим посещением она допустила очередную ошибку. Она-то полагала, что школьники проникнутся духом пушкинской поэзии, прикоснувшись к святыне,— но, как говорил папа-Мюллер, «мы не сможем понять логику непрофессионалов». А ее милые школьнички не были профессиональными поклонниками русской поэзии, они были совершенно обычными ребятами с гипертрофированным самомнением, что типично для детей новых русских, да и вообще всех состоятельных людей.

Они оценили класс квартиры — «ничего себе хоромы, да еще в ста метрах от царского дворца, райончик приличный»,— но, довольно равнодушно внемля экскурсоводу, составили коварный план. С особенным цинизмом, как выражаются протоколы и Уголовный ко-

декс, они изобразили необыкновенный интерес к рассказу, льстиво поели глазами однокашника-мэнээса, одетого по зарплате во все самое непрезентабельное, и мальчики пригласили его с дипломатической вежливостью и достоинством где-нибудь после работы посидеть и рассказать им еще о Пушкине. У учительницы же на вечер была назначена встреча с петербургскими подругами, отказаться от которой было выше ее измученных сил. Итак, вечером в номере гостиницы они аккуратнейшим образом подпоили двадцатипятилетнего мэнээса и стали провоцировать на выдачу служебных тайн: сколько Пушкин зарабатывал, сколько тратил и на что, и вообще как у великого поэта было по части фанаток и спонсоров.

Подсчет денег и трат великих гениев прошлого есть одно из слабых мест нищих мэнээсов. И любители подноготной узнали от слабого на банку гуманитара, в опьянении особенно гордящегося своими познаниями, ибо больше ему было

гордиться нечем, что проигрывал Александр Сергеевич бешеные тыщи и десятки тысяч в картишки, что жил не по средствам, ведя при своем приличном достатке бурную жизнь столичного аристократа, что приданое жены пристроил с редким умением и скоростью, и что после смерти долгов за ним осталось больше ста тысяч – при том, что двадцать тысяч в год были прожиточным уровнем самой что ни на есть золотой молодежи и сливок аристократии. Долги заплатил царь из уважения к памяти и таланту поэта. А сам поэт при жизни закладывал и продавал драгоценности и шали жены, устраивая ей сцены, если она смела оплакивать свою жизнь. Если бы эту лекцию услышала дирекция музея, она вышибла бы мэнээса вон немедленно.

На школьников это произвело сильное впечатление. Это и сейчас влезть на сто штук грин – круто, а тогда на столько же золотых рублей, при том что чиновник мог получать в месяц сорок рублей, на них снимать квартиру и содер-

жать служанку,– да, это неслабо. Черт возьми, что же за песни о нищете им пела милая Светлана Олеговна? Да он сорил деньгами, как лох, кто ж ему виноват? А царь, черт возьми, достойный же человек, оказывается. Мог ведь этих долгов на себя и не брать, такие бабки и царю не лишние.

И как умелые провокаторы, они стали поддевать исправно хлопающего рюмки мэнээса, что не может этого быть, Пушкин был верный муж, как же он мог продавать брюлики жены, это мэнээс свистит.

– Верный муж! – сардонически захохотал гнилой филолог, и в ответ стал рассказывать историю, давно известную пушкиноведам (одним – как реальную, другим – как гнусную), как Пушкина застукали под кроватью у Долли Финкельмонд, и как там насчет свояченицы, и вообще ходок и распутник (он употребил другие слова) был известный, немалое стадо почтенных мужей оснастил рогами, это все знали, и репутацией своей весьма гордился.

Вообще если всех сотрудников музеев Пушкина допросить на детекторе лжи, народ узнал бы много нового об истинном отношении к поэту со стороны тех, кто кормится на его памяти. Для психологов только ничего нового тут не будет: с кого кормлюсь, от того подсознательно и хочу освободиться, и к тому ищу всяческие аргументы. Дорожить или нет любовию этого народа – личное дело каждого, но цену ей знать надо.

В сознании также подвыпивших школьников вырисовался абсолютно отрицательный образ прелюбодея и чуть ли не кидалы, не отдающего долгов. Это глупости, что современная молодежь испорчена: так всегда говорили. В душе современная молодежь так же романтична и взыскует идеалов, как и во все времена. И наши школьники почувствовали себя оскорбленными в лучших чувствах. Раньше они все-таки не очень сами верили в свой эпатаж – ну так, себя показать, ум явить, самоутвердиться. Но когда специалист по Пушкину, работающий в его квартире-музее в Санкт-Пе-

тербурге, такое говорит – господа, да где же в жизни святое?! И вот этой фигуре им приказывают поклоняться и объявляют идеалом человека?

Одна девочка даже заплакала и сказала сквозь слезы:

– Какое гнусное лицемерие!..

А мальчики выражались уже как те лейтенанты в казарме.

Что же касается Дантеса, продолжал разливаться перед благодарными слушателями мэнээс, то Пушкин распускал слухи и делал намеки насчет того, что Дантес – пед и любовник голландского посла, усыновившего его, потому что был бездетен, а Дантес был сирота. Когда Пушкин вызвал его, секунданты Дантеса всячески предлагали мягкие условия дуэли, но Пушкин настаивал стреляться с полной серьезностью, и добился своего. Кстати, после дуэли кавалергарды единогласно подтверждали безупречность поведения Дантеса.

– Твою мать, – спросили все, – так чего же от Дантеса хотят? Чтобы он оскопился и застрелился? Потому что

Пушкин – великий поэт, и ему все можно? Кстати, – он правда так велик?

Мэнээс сознался, что на его взгляд и вкус Баратынский был не худшим поэтом, чем Пушкин. И вообще ни Жуковский, ни Вяземский не считали Пушкина выше себя – скорее наоборот.

– А как же толпа простых людей, стоявшая день и ночь на улице у подъезда умирающего?

Мэнээс захохотал и подавился. Подл пьяный интеллигент.

– Какая толпа? Каких простых людей? Сочинения поэта издавались тиражами от одной до трех тысяч максимум, и читали их люди исключительно образованные, составлявшие узкий круг и тонкий слой – вроде как сегодня в Москве какие-то литературные страсти кипят, а кроме тысячи от силы человек литераторов, критиков и профессоров, плюс пара сотен фанатов, никто ничего даже не подозревает.

В четыре часа утра мэнээса отвезли домой на такси, и, к чести юного поколения надо признаться, по дороге обсуж-

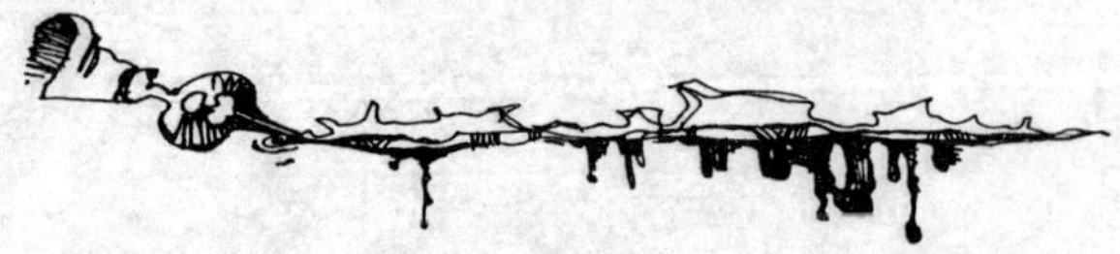

дали вариант скидывания его в Мойку с такой серьезностью, что таксист забеспокоился и предложил их высадить тут же. Из двух одно: или врет сволочь мэнэс, или Пушкин и правда здорово не того...

За завтраком учинили допрос учительнице. И по тому, как она пошла пятнами, и завертелась, и замычала, и запротестовала, стало ясно, что мэнэс не врал. И от этого, что интересно, стал восприниматься точно же как сволочь: знает одно, а говорит другое... и лишает людей последней надежды на все светлое.

С тем вернулись догуливать каникулы дома.

А первого апреля сын мэра преподнес любимой учительнице шутку вполне в духе Дня дураков.

– Светлана Олеговна, – спросил он невинно и даже тоном, как бы просящим совета, – мне один большой человек в другом городе, ну, вуз там хороший, поступать думаю, предлагает жить в его доме, всем пользоваться.

— Гм. И что же?

— А у него жена молодая, я ее видел, и, кажется, она ко мне задышала. Как вы думаете, если у меня с ней что-нибудь будет — это ничего? Или нехорошо?

— Как вы можете! — застонала учительница. — Боже, и еще с таким вопросом!

— Подумаешь,— пожал плечами юноша.— Разве наставить рога доверчивому мужу — это не забавно?

— Господи, откуда в вас столько цинизма?

— А почему Пушкин мог жить в доме графа Воронцова с женой графа Воронцова, жрать и пить на деньги графа? — заорал юный негодяй. — А на графа писать еще эпиграммы? А по службе ни фига не делать? Это ж надо найти себе работенку — бороться с саранчой! А когда у него спросили отчет — чего делал, мужик? — так он написал: «Саранча летела, летела и села. Села, посидела и дальше полетела». И за это получал зарплату от государ-

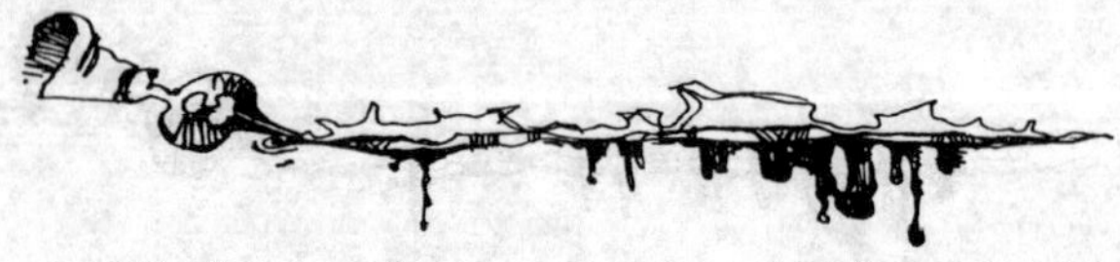

ства? В гробу я видал такой пример для юношества!

На первое мая компания этих падл отправилась в Михайловское и там два дня пила с сотрудниками тамошнего музея. И собрала компромата больше, чем потребовалось, чтобы посадить министра юстиции России, который по сравнению с молодым Пушкиным выглядел просто отшельником-богомольцем.

Там им нарассказали, что Пушкин жил с сестрами Вольф из Тригорского и «развратил их, как сладострастная обезьяна», но не брезговал и крепостными девками, а поскольку девки имеют от природы обыкновение рано или поздно беременеть, то получается, что у Пушкина были собственные дети от крепостных, что вообще было отнюдь не редкостью в те времена, и, значит, собственные дети Пушкина были его же крепостными и, выросши, должны были работать на него и его законных детей, как рабы, могли быть проданы и т. д. Рассказы эти отдавали явной завистью,

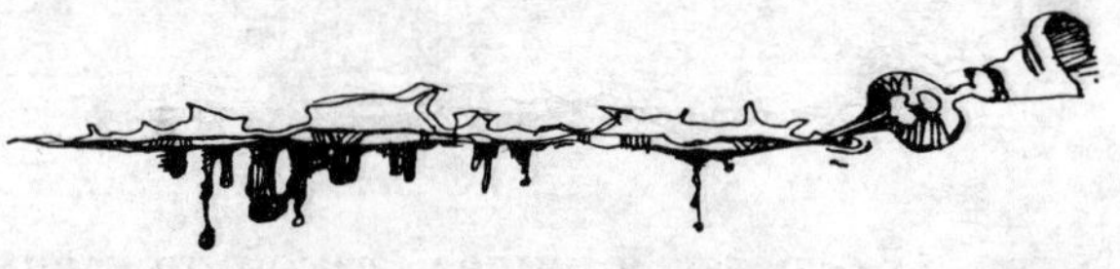

но довольно полно совпадали с книжицей «Любовницы Пушкина», какову́ю познавательную книжку школьники купили в киоске непосредственно на станции.

Назад группа вернулась какой-то ячейкой движения за свержение культа Пушкина и реабилитацию Дантеса.

Они сказали учительнице, что любовь не может быть всеобщей и обязательно-приказной, что отношение к поэзии – личное дело каждого, и они предлагают разговоры о Пушкине впредь оставить. Они им сыты по горло. Буря мглою небо кроет. Где же кружка. Отчизне посвятим. Не сотвори себе кумира.

Разумеется, эта битва титанов за солнце русской поэзии не могла не дойти до директора, и он вновь вызвал учительницу: хватит мозги крутить детям серьезных людей. Ее зачем в гимназию приняли? Что она развела!

– Мы постоянно говорим о развитии у детей самостоятельного творческого мышления! – защищалась учитель-

ница. – Ничего, позже они все поймут, зато у них возник живой интерес! Вы знаете, что они у меня вчера спросили?

– Могу предположить, – сказал директор. – Что-нибудь в таком духе, сколько у Пушкина было внебрачных детей?

– Нет! Они спросили: в стране десятки тысяч площадей, улиц, переулков Пушкина – а почему нет ни одной улочки Шекспира или Гомера? Что это – культурная самоизоляция? Или шовинизм? Или боятся, что наш гений не выдержит сравнения с мировыми? А один вообще сказал, что это проявление комплекса национальной неполноценности, который прикрывается гипертрофированным комплексом величия.

Задумался директор о том, что даже быку тяжело вспахивать ниву народного просвещения, и выгнал ее вон. Не вообще, а за дверь.

И тут-то и возник в центре площади бюст Пушкина.

Все остальное было делом техники. Класс провел сбор средств на «альтер-

нативный памятник». Помирая в восторге от своей предприимчивости, они еще сложили на компьютере издевательский «французский бланк», напечатали на цветном принтере и торжественно вручили скульптору. Резвились и падали.

Бюст подменили ночью накануне открытия. Постамент ночью же свозили к кладбищенскому каменотесу, от глаз подальше, и он выбил требуемую надпись быстрее, чем допил бутылку.

...Делу решили хода не давать.

Пушкина, прикопанного в детской песочнице, не нашли. Вероятно, отрыли бомжи и продали во вторчермет. Но глиняный оригинал был у скульптора еще цел. На следующее же утро компания сына мэра погрузила Дантеса в вишневую «Ниву», принадлежавшую самому мэру, туда же сел скульптор с Пушкиным, и исторических врагов повезли в литейку. Работа оплачивалась за срочность, и бюст в тот же день перелили и водрузили на место. У постамента уже ждал трезвый и напуганный каменотес,

сбивший непотребную надпись. Это место он прикрыл одновременно отлитой чугунной табличкой:

Александр Сергеевич
ПУШКИН

Дат жизни не поставили. И так все знают. Пушкин бессмертен.

На том все и закончилось.

И теперь бюст стоит в центре маленькой пыльной площади. И людям, склонным во всем искать символы, видится какая-то трудно формулируемая аллегория во всей этой метаморфозе обликов, явленных из одного и того же материала. Но таких людей, надо заметить, в Козельске почти нет. Не задерживаются они там.

# СОДЕРЖАНИЕ

## ЛЕГЕНДЫ-2



## КРАСНАЯ РЕДАКТУРА

**Михаил Веллер**

**ПАМЯТНИК ДАНТЕСУ**

Ответственные за выпуск
*Л. Б. Лаврова, Я. Ю. Матвеева*
Художественный редактор
*А. Н. Миронов*
Корректор
*О. П. Васильева*
Верстка
*А. Р. Вальского*

Лицензия ЛР № 064020 от 14.04.95
Лицензия ЛР № 070099 от 03.09.96

Подписано в печать 10.08.99.
Формат 70 × 100[1]/32. Печать офсетная.
Бумага офсетная. Гарнитура «Баскервиль».
Уч.-изд. л. 10,21. Усл. печ. л. 15,6.
Тираж 7000 экз. Заказ № 4605.

«Издательский Дом „НЕВА“»
198013, Санкт-Петербург, ул. Можайская, д. 18, оф. 3

Издательство «ОЛМА-ПРЕСС»
129075, Москва, Звездный бульвар, д. 23

Отпечатано в полном соответствии
с качеством предоставленных диапозитивов
в полиграфической фирме «КРАСНЫЙ ПРОЛЕТАРИЙ»
103473, Москва, Краснопролетарская, 16.